고요한 소란

글한조각

다인

이승에서

박소영

엥꼬

루사

강민정

박주원

김보영

고요한
소란

하루 종일 친구들과 실컷 떠들고 웃으며 행복해하다가도 집에 들어와 혼자가 될 때면 왠지 모를 답답함과 두려움이 밀려오곤 합니다. 불과 몇 시간 전, 행복했던 순간들은 금세 달아났고, 나는 감정의 빈자리를 공허함, 외로움으로 채웁니다. 따듯한 색깔을 가진 조명이 방 안을 아늑하게 만들어주어도, 잘 정돈된 이불과 베개에서 은은한 섬유향이 피어올라도, 침대의 푹신함과는 상관없이 마음의 소란스러움을 잠들게 하기 어렵습니다.

우리는 동시에 여러 얼굴을 가지고 있습니다. 자식으로의 얼굴, 친구로의 얼굴, 연인으로의 얼굴, 지인으로의 얼굴, 그리고 상상 속에만 존재하는 나의 얼굴. 현실 세계에선 거울만 있다면 내 얼굴을 쉽게 볼 수 있지만 거울이라곤 없는 마음의 얼굴은 가늠조차 어렵습니다.

고유출판사 대표 **이창현**

어쩌다 우리는 마음의 얼굴을 가늠하기 위해 글을 선택했습니다. 왠지 글이 마음의 얼굴을 들여다볼 수 있는 적당한 거울이라는 생각이 들었거든요. 그렇게 자신의 마음속 얼굴에 대한 생생한 고찰을 담은 기록이 바로 지금 집어 든 책, <고요한 소란>에 담겨있습니다. <고요한 소란>을 쓴 9명의 작가들의 얼굴은 우리가 익히 알고 있는 'OO'으로의 얼굴과는 사뭇 다를 수 있습니다. 작가들은 글을 통해 오롯이 마음속에서 바라본 자신의 얼굴을 생생하게 기록했고, 그것이 소란스럽든 고요하든, 본인의 진심과 정성을 다 해 써냈습니다. 독자 여러분들은 천천히 여기 수록된 글들을 읽으며, 한 작가의 얼굴을 발견하는 시간이 되시기를 바랍니다.

차례

일러두기

책 집필에 참여한 작가 대부분은 자신의 글을 처음 세상으로 내보입니다.
출판사는 작가들의 원고에 큰 오탈자와 비문 정도에만 개입하였고, 그 외에는 자신의 문장이 그대로 세상에 나오는 즐거움을 느낄 수 있도록 개입하지 않았습니다.

불확실각

섬

불완전한 섬

나의 섬은 애초에 육지와 연결된 땅이었다. 밀물이 되면 섬이 되었고 썰물에는 육지가 되었다.

섬은 집이고, 육지는 놀이터였다. 겁 없고, 어리석고, 체력이 넘쳤던 나는 자주 육지로 달려갔다 오곤 했다.

하지만 그 길에 나는 크고 작은 상처들을 입었다. 길은 정해짐이 없어 늘 가는 길을 헤맸고 날카로운 나뭇가지들에 할퀴어 지고 거친 돌뿌리에 걸려 자주 넘어졌다.

내 몸과 마음에 상처를 입을 때마다 나는 점차 가던 길로만 가게 되었고 그 정해진 길마저 힘들어졌다. 점차 달리는 일이 뜸해졌고 멀리 나가는 일은 줄어들었다.

그 사이 점차 물은 더 깊게 들어오고 쉬 나가지 않게 되면서 완전한 섬이 되었다.

고립이 되었다는 것을 알고 나서 나는 일종의 허무를 느꼈다.

결국에는 섬이 될 운명이었구나.

육지까지 달려서 언제든지 갈 수 있는 것은 더 이상 아니었으니 서글 프기도 했다.

하지만 절망할 일은 아니었다. 누군가 만들어 둔 아주 오래되고 몹시도 흔들거리는 육지와 연결된 다리가 있었으니.

또한 작고 야무진 배 한 척이 늘 정박되어 있으니 완전한 고립은 아닐 터였다.

바다와 육지는 모든 것이 다 일어날 수 있는 곳이었다. 우연한 행운, 예측 못한 위험, 필연, 우연.

재미는 날 스스로 찾아오는 법이 없었다. 하지만 위험도 마찬가지였다. 가만히 있으면 아무런 일도 일어나지 않았다.

섬은 늘 고요하고 또한 안전했다.

그래서 나는 종종 내 작은 배를 타고 바다에 머물다 돌아오곤 했다.

처음에는 마치 육지와 연결되었던 시절처럼 아무 목적없이 육지까지 들어가서 정박하기도 했지만 요즘에는 매번 중간까지 갔다가 멈추게 된다. 아무런 목적없이 가고 싶지 않아졌고 또한 소득 없이 돌아오는 길은 여러 의미에서 힘 빠지는 일이기 때문이다.

섬에서는 그 어떤 것도 예상할 수 없으니, 그저 멀리 폭풍이나 쓰나미를 예상하기 위해 갔다 온 것이라고 스스로를 위로했다. 예전에는 길이었던- 또한 지금은 바다가 되어버린 이 바다 위에서 나는 그 어느 쪽도 가고 싶지 않을 때가 있다.

눈을 감고 수 없이 많이 육지의 생활을 상상해보았다. 예측할 수 없는 막연함을 대항할 자신이 없었다.

섬 안에서 고요한 결말도 상상해본다. 너무도 뻔한 결말에 내가 진짜 원하는 것인지 확신이 없다.

깊은 밤. 섬과 육지, 그 중간 어디 배를 세우고 일렁이는 약한 파도를 느끼고 달 빛을 받고 있으면 묘한 불안함과 무서움이 덮쳐온다. 그런 작은 스릴만이 내가 느끼는 유일한 위협이었다

섬을 만든 것은 나인가, 아니면 운명인 가.

섬을 벗어나 육지로 가는 것은 나의 선택인가, 아니면 누군가의 뜻에 따라 정해지는 것인 가.

내가 육지라고 생각하는 저 것은, 정말 육지가 맞을까?

아니면 내가 살고 있는 이 곳이 육지이고, 저 곳이 섬인 것은 아닐 까.

누가 고립되고 누가 자유로운 것일 까.
섬도 아닌, 육지도 아닌 이 고요한 바다위에 홀로 폭풍우로 어지러운 것은 내 머리 속 뿐 이다.

섬의 고유한 기질- 흙

나는 흙에서 태어났다.

가을의 흙이라 했다.

약산성의 사양토, 없는 건 없었지만 어떤 원소는 지나치게 많았고 어떤 것은 부족했다. 그래도 무난했기 때문에 옥수수, 감자, 고구마 같은 것은 얼마든지 잘 컸다. 하지만 까다롭고 귀한 것은 잘 크지 못했다. 배고플 일을 없지만 대박 칠 일도 없다는 뜻이었다.

봄에는 개나리와 산수유가 피었고 여름에는 옥수수와 능소화가, 가을에는 국화와 감나무가 익었고 겨울에는 겨울배추와 시금치를 키워냈다. 남들처럼 화려한 꽃을 피워내는 법은 모른다. 이름모를 과일들의 달콤함과 향기가 궁금하기도 했다. 하지만 창고에는 먹을 만큼의 감자와 고구마, 마당에는 시래기를 말려 놓았고 곶감을 만들어 달아 놓았다. 자극적이지 않지만 균형 있는 식단의 완성이었다. 나의 식탁은 나의 땅처럼 늘 수수하다.

나는 가을의 흙이라 했다.

가을이 되자 흙은 전성기를 맞이하였다. 예전에 노력을 쏟아 부어도 키우기 어려웠던 나무에 열매가 열렸다. 노력의 결실을 하나 둘 음미하고 있다.

하지만 여전히 나의 애를 태우는 희귀 식물들은 영 시원치가 않다. 이대로도 충분하다 여길 만도 한데, 자꾸만 새로운 식물에 대한 궁금증과 갈망은 완전한 해방과 안도감의 길을 가로 막았다.

그래서 나는 생각했다. 내가 피우고 싶은 저 식물에게는 나의 섬에는 없는 빛이 필요하다고. 나의 흙에는 드리우지 않는 육지의 그 빛에 대한 열망은 늘, 나를 섬에서 떠나고 싶게 했게 한다.

나는 노력만으로는 나의 땅의 기질을 바꿀 수 없었다. 부족한 비료를 잔뜩 뿌려도 보고 땅을 대대적으로 갈아 보기도 했다. 그 노력들은 매년 작년보다는 더 나은 상태를 만들 수 있었지만 타고난 성질까지 건들일 수는 없다.

비가 한번 내리면, 해가 한번 바뀌면 다시 돌아오길 반복했다.

나도 남들처럼 화려한 수목을 식재해보기도 했고 귀하다는 과실수를 여러 번 시도했지만 거의 모두 실패했다. 우연히 잘 활착하는 경우도 아주 희박하지만 더러 있었기 때문에 시도는 멈출 수 없는 도박 같았다.

하지만 그렇게 희귀한 식물을 한 두개 모을 때마다 나는 득과 실에 대해 매번 생각 해 볼 수밖에 없었다. 이렇게까지 노력할 가치가 있는 식물일까, 옥수수에게 이 정도 노력을 하면 한 포대는 족히 더 만들 수 있을 만큼의 땀을 겨우 몇 일 피는 이 한송이 꽃을 위해 할애하는 것이? 내 입맛엔 맞지 않는 맛있다고 소문난 이 열매 한 두개를 얻기 위해?

그래서 어렵게 성공하고도 내 손으로 뽑아버린 희귀한 식물들이 많이 생겨날수록 도전의 횟수는 점점 줄어들고 있었다. 결국에는 익숙하고 당연한 것들이 가장 귀한 것이라는 것을 알수록 그 것은 어쩌면 가치 있는 깨달음이기도 했지만 또한 힘 빠지는 일이기도 했다.

도전은 엄청난 에너지를 요하기도 했지만 또한 엄청난 설렘을 주는 일이기도 했기 때문이다.

경험이란 그런 것이다.

실수와 실패를 줄이고 무모함이 사라지며 합리적이고 최적의 선택을 하는 것. 그리고 또한 희열과 성취감이 줄어들고 설렘이 사라지면서 인생을 예측가능한 재미없는 것으로 만들기도 한다.

그러다 보니 예측 가능한 것은 오히려 보수적으로 행동하게 되면서도, 예측을 전혀 할 수 없는 것들에게는 지나칠 정도로 희박한 확률에

쉼

배팅을 하기도 하는 모순의 모습을 보인다.

그것은 열망의 일종의 해방 - 안정감에 대한 도전이기도 했다. 완전 상반된 행동을 하는 것은 정신적 교란 행위였다.

나는 돌다리도 두들겨보고 건너는 안정주의자인데 아주 가끔 안되는 것을 알면서도 한계를 훨씬 뛰어넘는 거리를 멀리뛰기로 굳이 뛰어보고 접질려진 다리 통증을 끙끙 앓는 바보 천치이기도 했다. 밭 멀리 떨어진 옥수수 한 알 한 알 살뜰하게 줍는 사람이자, 가끔 호기심에 냅다 옥수수 한자루를 아궁이 불쏘시개로 튀겨보고 숯 검댕이가 되는 결과를 굳이 눈으로 확인하는 사람이기도 하다.

나는 언젠가 나의 섬을 떠나 어딘가 떠났다가 다시 돌아오는 꿈을 꾸곤 한다.

나의 땅에는 드리우지 않는 저 빛을 따서 돌아올 게-

하지만 나는 마치 내 스스로가 덩굴 식물이 된 것처럼 느껴질 때가 있다. 나의 뿌리는 나의 땅에 깊이 박혀 있고 내 몸은 스스로 나의 섬 이곳 저곳을 감아 올라간 것 같다.

나는 아마도 질긴 칡처럼 여기저기 독하게 내가 가진 것들을 독하게 움켜쥐고 감아 버린 것일지도. 나는 겨울이 와야만 이 둘레를 벗어날 것만 같다. 모든 독한 것들을 다 얼리고 말려서 비틀어지게 한 후 땅 위는 마치 태초처럼 아무것도 남아 나지 않게 해야, 그 때 서야 나의 섬에서 벗어날 수 있을지도 모르겠다.

아니면 그 전에 나는 내 스스로 덩굴을 잘라버리고 뿌리를 뽑아버리고 빛을 향해 무모한 여행을 시작할 수 있을 까. 그리고 다시 돌아왔을 때, 나의 것들은 온전하게 있어줄까?

모든 것을 잃을 것을 알면서도 냅다 아궁이에 뛰어든 저 옥수수 한자

루처럼 숯 검댕이가 되고 후회하겠지. 아니, 어쩌면 영화처럼 아름다운 강냉이 폭죽이 터질지도.

알면서도, 애써 모를 일이다.

섬으로 이어진 유산- 씨

태초에 물려받은 그 상자는 오랜 유산이었다.

낡은 나무 상자에는 이름모를 씨앗들이 가득했다. 귀한 것이 있고, 험난한 것도 있다고 했다.

하지만 심기 전까지 그것이 무엇인지 몰라서 조심스럽게 감으로 골라낸 몇 개의 씨앗을 심고, 싹이 나오면 경험으로 판단을 한다.

하지만 모든 것이 그러하듯 어느 정도 커야 기질이 나오는데 그 때는 사실 이미 너무 늦는다.

그럴 때는 소위 타이밍이라는 것이 중요하다. 그 타이밍을 놓치면 주변을 온통 쑥대밭으로 만들어 놓는 것도 있다.

경험이 적었을 때 뭐든 자라겠지 하는 마음으로 냅다 뿌린 씨앗들의 거의 대부분은 지독하게도 죽지 않는 훌륭한 잡초가 되었다. 덕분에 매년 고생스럽게 제거하고 방제하지만 또 어느덧 잡념처럼 무성하게 자라

버린다.

즉 영원히 뗄 수 없는 그림자처럼 악독하게 붙어 벗어날 수 없는 그런 씨앗도 있을 수 있는 것이다.

그럼에도 불구하고 매년 씨를 심을 수밖에 없는 이유는 그들 중 나의 인생을 바꿔줄 씨앗이 있기 때문이었다. 아무것도 심지 않으면 위험을 감수할 수 있지만 또한 좋은 것을 얻을 수 없다.

그래서 매년 씨앗을 심는 모험을 감행한다. 그것이 전해 내려오는 삶이라는 규칙이다.

그렇게 성공한 나무들 중에서 부족한 나의 섬에서도 귀하게 커주는 희귀한 나무들이 있다.

하나같이 이름을 알 지 못해서 나만의 이름을 지어 부르곤 했다.

꿀나무라는 애칭의 꽃이 기가 막힌 이 관목은, 자기 마음대로 계절과 상관없이 커다란 딱 하나의 꽃만 피웠다.

퀸터 그라스의 [양철 북] 주인공이 숨어들었던 - 할머니의 끝없는 푸근하고 폭신한 하얀 속치마-를 연상시키는 부드러운 꽃잎이 무한하게 겹겹이 쌓여 있었다.

그 향은 사람을 미치게 할 정도였다. 섬 전체가 그 꽃 하나에서 나는 향으로 가득 찰 정도였고 여타의 좋은 모든 꽃향기를 압도했다.

하지만 꽃을 매달지 않은 나무는 자존심만 강한 몰락한 귀족같이 정말 별볼일 없었다.

그 상태가 지속되면 사실 손을 놓게 되기 십상이었지만 그렇게 되면 영영 꽃을 피울 일도 없었기에 마냥 내키지 않아도 신경 써주지 않으면 안되었다.

꿀나무의 꽃은 내 몫은 아니었고, 순전히 이 나무의 선택이었다. 그러니 나는 나의 땅과 이 나무의 화합을 그저 늘 기다리는 입장이었을 뿐, 내가 노력을 한다고 해서 꽃을 매번 볼 수도 없는 것이다.

노력과 마음대비 최악의 효율성을 가졌지만 그 꽃 향기를 맡아본 사람이라면 어쩔 수 없이 백을 주고 하나만 받아도 그저 감사하다고 할 만했다.

그렇게 피기도 어려운 꽃 중에서 어떤 것들은 세상 그 무엇보다 아름답고 가치 있는 열매가 열린다는데 나의 꿀나무의 꽃에서는 단 한번도 열매를 달지 못했다. 꽃이 귀해 굳이 열매까지는 바라지도 않았지만 그래도 늘 결과가 아쉬운 건 어쩔 수 없었다.

금나무라 부르는 과실수는 다 똑같아 보이는 흔한 묘목에서 시작하는데 땅에 심기면 각기 다른 열매가 달린다는 이상한 나무였다.

나의 금나무는 작은 귤 같은 과실을 키워냈다.

어떤 이의 금나무에서는 과실이 내실없이 떨어지기만 한다고 하고 어떤 이의 금나무 과실은 수박 만한 크기로 주렁주렁 열린다고 한다.

나의 금나무는 늘 적지도 많지도 않지만 부지런히 꽃과 열매를 만들어냈다.

내심 더 퉁퉁한 과실이 주렁주렁 열리기 바란다, 누구나 그렇듯.

그 작고 별 것 없는 그 열매의 맛은 가이 금단의 열매라고 불리울만 했다.

사랑하는 사람과도 나눌 수 없다는 천상의 과일.

탐욕적으로 정신을 놓게 먹게 되어 오르톨랑을 먹는 사람처럼 남이 볼까 그 모습을 가리고 싶을 정도였다.

조금이나마 더 달콤하고 많은 과실을 얻는 방법이란 까다롭기도 하고 어려운 지식을 요하기도 하여서 많은 공부와 연구가 필요했다.

나의 노력과 금나무의 타이밍이 절묘하게 맞기만 하면 그 해는 풍년

쉼

이 되기도 하는데 물론 아주 많이 어려운 일이었다.

성나무는 현재 5미터는 족히 넘는, 키가 크고 두툼한 수간폭을 지닌 교목이었다.

이 나무는 나의 땅과 너무 잘 맞았다.

이 나무가 바라는 것은 그저 나의 노력 하나였다.

열매가 열리지도, 꽃이 피지도 않지만 나의 정원에서 가장 크고 두꺼웠으며 여름에는 아름드리 크고 시원하게 뻗어준 가지와 새가 날개를 편 듯한 크고 풍성한 잎이 만들어준 그늘 아래에서 보호받는 느낌까지 들었다.

하지만 그냥 자라는 나무는 없듯이 성나무 역시 가을 가지치기를 시작으로 겨울 월동을 위해 가지 옷을 입혀주고, 틈만 나면 틈새 여기저기 유충도 제거하고 약도 약하게 쳐주었다. 유기질 비료와 함께 알칼리성을 좋아하는 특성상 잎을 태워 재를 만들어 뿌려주었다.

아무리 내 땅과 잘 맞아도 노력은 늘 필요한 법이다. 노력한 만큼, 봄과 여름에 나의 소담스러운 땅에 드리울 만한 녹음을 만들어 줄 테니.

찾아오는 짐승들은 제각각 좋아하는 나무들이 따로 있었다.

왜 저런 나무를 좋아할까, 싶은 나무에만 집을 짓는 새도 있었고 한 나무에만 몸을 비비 대는 고양이도 있었다.

다들 자기만의 가치가 있고 자기 만의 기준이 있는 법이다.

나의 섬에서 가장 크고 거대한 나무는 사실 오래된 태산목이다.

그저 흔한 목련 같은 꽃을 피우고 흔한 수피와 잎을 가졌지만 워낙 오랜 세월 살다 보니 일종의 섬의 상징과 같았다.

집과 섬을 지키는 듯 거대했는데 나는 그 것에게 감사하고 경외하는 마음을 가지고 있으면서도 썩 귀하게 여기지는 않았다.

마치 당연하다는 듯 생각하기도 했다.

하지만 매년 모든 산짐승을 불러들여 쉬는 공간을 마련해주고 독한 바닷바람을 막아주고 가장 큰 그늘이 되어 주기도 하는 존재였다.

태풍으로 모든 것이 다 날아갔던 그 때, 벼락이 하루 종일 내리 꽂던 날, 내가 귀하다 여겼던 모든 것들을 보다도 어쩐지 더 먼저 달려가 괜찮은 지 확인했다.

평소에는 잘 생각하지 않지만 마음속으로는 의지할 수밖에 없는-

그냥 내가 태어나기 아주 훨씬 더 오래전부터 있어주었던, 누군가 씨앗부터 시작했을 흔하 더 흔한 나무에서 시작해서 그 시간을 가늠할 수 없이 오래되어버린 위대한 유산.

섬에서 가장 높은 곳에서 자라 섬의 가장 깊은 곳까지 뻗어 있는-

몇 백 년을 걸쳐 내려왔는지 모르는, 나의 섬에는 거대한 태산목이 있다.

통제 불가능한- 비

　세상에 내 마음대로 되지 않는 것이 한 두개가 아니겠지만 그 중 날씨는 하늘의 영역인 듯하다.

　비는 생명의 근원이고 또한 종말 이기도 했다.

　장마철의 비는 그야말로 모든 것을 다 휩쓸고 지나갔다. 이 작은 섬이 바다가 되어버리는 것도 이상하지 않을 만큼.

　하지만 비가 너무 내리지 않을 때도 마찬가지로 재앙이었다.

　비는 꼭 필요할 때 필요한 만큼만 내리면 된다는 아주 간단하고 쉬운 것을 잘 지켜주지 않았다.

　양의 많고 적음은 늘 생명을 위협할 듯하다 가도 딱 그려 놓은 선이라도 있는 것처럼 절대로 한계는 넘지는 않았다.

　죽일만큼 괴롭히고 병 주고 약 주고 하는 고문 전문가이자, 신의 찬미처럼 온화하고 감성적이기도 했다.

　가물어서 걱정하기 시작할 때쯤 내리는 비는 얼마나 달콤한 가. 대지를 적시기 시작하는 비 냄새를 맡아본 적이 있는 가.

　흙의 향기를 머금은 수중기가 대기로 퍼지면 따뜻한 향긋함이 몸 속에 쏙 들어오는 느낌이다.

　축 늘어졌던 가지 잎이 탱글탱글 해 지고 가늘게 마르던 고추대가 통통해지면 나는 우비를 입고, 장화를 신고 신나게 밭을 뛴다. 나를 따라

개구리도 뛰고 빗방울도 뛴다.

샤워를 하고 보송 해진 나는 한 동안 마루에 앉아서 내리는 비와 어울리는 선곡을 준비하고 따뜻한 커피를 마시는 그 순간이란!

그렇게 잠드는 낮잠은 한동안 걱정했던 모든 것들이 사라지는 느낌이다.

어느 해는 비가 세차게 몇 일째 내리다가 어느 날은 너무하다 싶을 정도로 세차게 내렸다.

아이처럼 귀하게 여겼던 꿀나무에서 힘들게 맺힌 꽃봉우리가 바닥에 힘없이 떨어져 비참하게 흙바닥에 처박혀 찢겼다.

금나무의 과실들은 곰팡이가 피다 못해 결국은 버티지 못하고 바닥에 나뒹굴어 깨어지고 부서졌다.

성나무의 가지는 몇 개가 부러졌는지 셀 수 없었다.

나는 그 가운데서 얼마나 목놓아 울었는지 모른다. 나는 부러진 가지를 들고 아이처럼 엉엉 울었다.

아무도 듣지 못하는, 듣지 않는 그 세찬 빗소리에 내 울음소리마저 바닥에 처박혀 나뒹굴고 있었으니.

– 다 가져가라, 그래 다 빼앗아가라. 모두 뿌리 채 뽑아 버려라! 물에 잠겨버리고 영영 사라지게 해라!

울음이 멈추자 나는 저주에 가까운 악다구니를 썼다. 그 목소리도 빗물에 쓸려갔지만.

아무리 소리를 크게 질러도 빗소리를 이길 수는 없었다. 할 수 없는 것이 아무것도 없다는 무력감이 곧 찾아왔다.

나는 그저 처마 끝에 처량하게 앉아서 비에 녹아내리는 흙벽처럼 조용히 땅으로 점점 잠기고 있었다. 마침내 머리만 남았을 때 나는 조용히 눈을 감았다.

나쁘지 않다, 이대로 사라져도.

얼마 후 다시 눈을 떴을 때 나는 사라져 있지도 않았고 비는 더 내리지 않았다. 거짓말처럼, 해가 눈이 부시게 떠 있었다.

비가 휩쓸고 지나간 자리는 상당히 처참했다.

하늘은 언제 그랬냐는 듯 시치미를 떼고 있지만 할퀸 땅의 상처는 고스란히 남아 있다. 그 모습은 나를 깊은 무력감으로부터 끌어낸다.

봐라, 너의 할 일을. 일어나서 빨리 무언가를 하지 않으면 내일은 더 힘들 걸?

생각할 시간도 절망할 시간도 주지 않는 건 오히려 눈 앞에 당장 닥친 처참함 들이다. 나의 곡식들은 익기도 전에 바닥에 떨어졌다.

그것으로 끝나지 않는다.

버티는 듯했던 작물들은 과습으로 괴사하기 시작했다. 곰팡이와 해충이 창궐한다. 병은 병을 옮기고 그렇게 2차 가해를 시작한다.

그 해의 작황은 말도 못하게 쪼그라들었고 일부 귀하게 여겼던 식물을 보내줄 때 나는 그간의 노력이 헛되이 사라짐에 허탈하기도 하다.

장점도 있다. 복귀하는 시간만큼은 꿈을 빛을 쫓지 않는다. 오직 현실에 집중한다.

당장 습기로 가득 찬 창고를 비워서 선반의 물기를 닦아내고 썩어 들어가기 시작한 것들을 버리고 태운다. 거름으로 만들어서 내년을 기약한다.

몸이 힘들면 생각이 줄어든다. 멀리 볼 여유가 없어지면 당장 눈 앞에 있는 것에 집중한다.

낮의 강도 높은 육체노동은 밤에 깊은 잠을 선사한다.

생각이 너무 많아서 오히려 불행해지려 할 때 비가 내리기 시작한다. 세차고 지나치게. 생각의 반도 사라지지만 가진 것의 반도 사라진다.

대가는 늘 존재한다.

비는 바랄 때 바라는 양만큼 내리는 법이 없다. 주어지면 감사하고 넘치면 감당해야 한다.

다음 장마에는 이번을 교훈삼아 실수를 줄일 수 있다. 비를 읽는 법이 더 견고해진다. 많고 적음을 대비하여 저장소를 만들고 수로를 만든다.

겪어봐야 아는 것 중에는 네가 정말 최고다, 헛웃음이 나와서 고개를 가로 젓는다.

비 온 뒤에는 섬 주변으로 하얀 파도가 가득해졌다.

자세히 보니 하얀 꽃 잎이었다.

내가 잘 가지 않은 섬 반대편은 아주 험하고 별로 얻을 것이 없어서 잘 가지 않는 곳인데, 봄에는 하얀 꽃으로 가득 핀다는 사실을 알고 있다.

평소에는 잊고 지내는 흰 꽃 들.

이렇게 생사를 확인하였으니 되었다.

나는 왜 이토록 내가 가진 당연한 아름다움에 무심 해질 까.

장마가 지난 후 대충 정리가 되었을 무렵, 못 보던 새싹 하나가 자라 있었다.

어떤 녀석인지 판단이 서지 않아 얼마간의 시간을 더 주기로 한다.

그 밤, 나는 그 새싹이 희귀한 식물로 자라는 꿈을 꾸었다. 밤새 약한 빗소리까지 모든 것이 평온했다.

통제가능한- 불

만약 나의 섬에 불이 피어 오르면, 나는 당분간 이 섬에서 나가지 않 겠다는 뜻이다.

이른 봄에 밭에 불을 놓는다. 그것은 씨앗을 심을 준비를 하는 과정인 데, 겨울 내내 밭에 쌓여 있는 채로 말라버린 잡초를 태우고, 그 안에 월 동을 하고 있을 수많은 해충을 박멸하는 작업이다.

불은 새싹을 물기를 머금은 작은 싹에 옮겨붙지 못하고 그대로 사그 라든다. 오직 태울 수 있는 것은 겨우내 바짝 말라버린 지난해의 부산물 들 뿐 이다.

바람은 불은 돕는다. 가끔 불은 바람을 타면 지나친 과욕을 부르기도 하기 때문에 그 과욕을 경계하지 않으면 모든 것을 집어 삼켜버린다. 그 러니 늘 어린 불씨에게 엄격해야 한다.

내로남불이라고 했던가. 한자성어인 듯 그저 유행어인 이 단어는 불을 놓을 때 더 짜릿하게 다가온다.

자기 자신에게 결코 엄격하지 못한 나는 불에게는 무소불위의 권위를 이용하여 마치 작전을 지휘하는 대장처럼 행동한다.

제대로, 적당히 타지 않으면 당장 꺼버리고 새 불을 놓겠다!

그런 지휘와 통제가 필요한 것이 바로 불이다. 불은 통제 아래 있을 때 순수하고 목적지향적이다. 하지만 한번 통제에 벗어나 바람의 권위에 올라타버리면 반역이 일어나버린다. 불의 반역이 일어난 자리는 말하지 않아도 알겠지?

장작에 사용하는 나무는 전 해 미리 베어서 말려 놓지 않으면 봄을 품은 줄기는 물을 흡수해 싹이 나고 통통해진다. 그 때는 너무 늦다.

봄부터 겨울까지, 이유가 다양하게 몸을 놀리지 않으면 몇 배로 괴로운 일이 생긴다.

섬의 겨울은 일년의 절반 이상 길고 상상을 초월하게 추웠다. 그 추운 밤은 괴로운 고문과도 같았다.

동상으로 새카맣게 죽어가는 발가락을 녹여주는 것은 내 혼자의 체온으로는 불가능했기에 정말이지 인생이 덜 괴로우려면 누워서 인생 타령할 시간에 장작 하나 더 패 놓는 것이 훨씬 더 유용한 행위다. 따뜻할 때 자꾸 잊어버려서 그렇지.

두꺼운 장작에는 쉽게 불이 붙지 않는다. 불은 마른 것은 모두 잘 태워버릴 것 같지만 사실 그렇지 않다.

어린 불은 정말 너무 연약해서 잘 꺼져버리고 마는데 그 것을 도와주는 것이 마른 풀들이었다.

어린 불이 어린 풀을 먹고, 중간 불이 되어 나뭇가지를 먹고 자라야

두꺼운 장작을 비로소 먹어 치울 수 있게 되는 것이다.

나는 그 순간을 사랑한다.

불꽃이 눈 안에 가득 담기면 끝없이 펼쳐졌던 머리속의 잡념들이 불을 만난 지푸라기처럼 힘 없이 타버렸다.

큰 생각들은 태울 수 없다. 그렇게 되면 불은 통제에서 벗어나 나 스스로를 집어 삼키게 될 것이다. 그러니 작은 잡념 정도를 태우는 것이 알맞다.

불은 요리조리 타면서 나에게 순수한 유희도 제공한다. 불을 뒤적거리며 내가 원하는 방향의 불길을 잡는 것도, 강도를 조절하는 것도 재미였다.

젖은 풀이 섞이면 엄청난 연기를 내 뿜게 되는데 바람까지 불면 요란한 빈 수레 같이 자욱한 연기로 휩싸인다.

어린아이처럼 눈물 콧물 줄줄 흘리면서 그저 잿가루 묻은 손등으로 쓱쓱 닦아내면 그만이다.

그 안에서 익어가는 고구마나 밤 같은 것은 달콤한 보너스 같은 것이다.

불은 내가 그에게 쥐어 준 태울 것을 다 태울만큼만 생을 허락한다.

조각조각 나버린 장작의 마지막이 힘없이 툭 반으로 쪼개지면 불은 힘을 거의 잃고 만다.

작은 조각들은 아직도 용암 같은 붉은 기운을 품고 있지만 그저 잿가루 휘날리며 죽어가고 있을 뿐이다.

그 위에 촉촉한 속 흙을 무심히 턱, 덮어주며 작은 유희의 끝을 알린다.

회백색의 잿가루들은 흙과 섞어서 밭 여기저기에 뿌리면 산성이 중화되어 중성화에 도움이 된다. 나의 흙은 불과 함께 일종의 pH 밸런스를 맞춘다.

나는 가끔 섬이 불타는 꿈을 꾼다.

등이 오싹해질 만큼 현실적인 꿈이면서도 한편으로는 아, 이제 정말 끝이구나 싶은 공포감과 함께 이름모를 안도감이 들기도 했다.

모든 것을 다 잃고 아무것도 남지 않은 상태에서 빈 몸으로 육지로 향하는 꿈은 정말 최악이었다. 절망적이고 온갖 불행한 기분이 감돌았다.

차라리 그럴 때에는 불타는 섬과 함께 바다에 가라앉는 편이 나았다. 고통은 잠깐. 죽는다는 느낌은 순간이었고 그 이후는 편했다.

주변이 온통 물인 무인도에서, 비가 내려 내 섬이 가라 앉는 것은 나의 영역 밖의 문제였으므로 나는 그 운명에 순응할 수 있고, 그럴 수밖에 없다.

누구를 원망하더라도 적어도 내 탓을 하지 않아도 된다.

하지만 불타서 섬이 사라진다면 그것은 온전히 나의 잘못일 것이다.

섬은 늘 춥고 어두웠으므로 불은 섬에게 부족한 것이다. 그런 귀함과 욕망은 불을 한없이 강렬하고 매혹적으로 만들었다. 내가 가지지 못한 것을 가진 자에게 반해버리는 원리 같은 것이다.

나의 흙은 가을을 품고 있고 그 기운은 다소 서늘하므로 늘 뜨거운 것을 선망한다.

매번 불을 놓을 수 없으니, 그저 집을 짓는 새처럼 여러 태울 것들을 여기저기서 주워 창고에 쌓아 두면서 불꽃에 대한 열망을 그런 식으로 채우곤 한다.

언제 매혹 당해 버려 내가 내 손으로 섬을 태워버릴 수도 있으니.

섬 속을 맴도는- 말

어릴 때 나는 미친 망나니 같은 망아지와 친구였다.

그 친구는 나를 태우고 육지로 달려가 자주 날뛰곤 했는데 본의 아니게 많은 것을 부수고 다녔던 기억이 있다.

누굴 다치게 하기도 하고 누군가의 소중한 것을 부수기도 했다.

내 잘못이 아니라 저 미친 망나니 같은 망아지 때문이라고 해도 사람들은 나를 비난했고 나는 그것이 조금 억울하기도 했다. 하지만 '나의 망아지' 였고, '나의 섬'에서 왔기 때문에 그는 곧 나였다.

그 때부터 나는 망아지를 강하게 단속하기 시작했다. 사고를 칠 때마다 강하게 통제했다. 그가 무슨 말을 할 때마다 입을 막았고 그의 입장에서 생각하지 않고 일단 질책했다. 점점 서로 의기소침해졌다.

나는 어른이 되었고 미친 망나니, 아니 망아지는 말이 되었다.

어릴 때 얼룩덜룩했던 무늬가 점점 없어져서 완전히 갈색의 평범한 말이 된 망나니는 놀랍도록 다른 모습을 보여주었다.

그는 거의 대부분의 시간을 가만히 있었고 별 다른 것을 하지 않았다. 가끔 여전히 망아지 시절처럼 미친듯이 섬 여기저기를 질주하고 다니고 숲 속을 헤집고 다녔지만 집과 밭 주변에서는 고장 난 것처럼 터벅터벅 느리게 걸었다.

그렇게 어릴 때부터 강하게 통제 받았던 말은 나에게 감정이 좋지 않은 듯했다.

더 이상 우리는 좋은 친구가 아닌 것 같다.

하지만 어쩌겠는 가.

우리는 이 섬을 기반으로 함께 살아가야 하니 서로 협력하는 관계로 잘 지내는 수 밖에. 서로가 필요할 때 옆에 있어주는 것이 어쩌면 최고의 관계라면 관계 랄까.

가끔 섬으로 빠르게 가야 할 일이 생기면 나는 갈색 말의 등에 탔고, 그는 섬과 육지를 잇는 그 위태로운 흔들 다리를 마치 돌다리처럼 견고하게 건너 주었다. 그 모습이 어찌 대견하면서도 좀 측은하기도 하고 그랬다. 육지에서도 그는 나를 등에 태우고 별 다른 행동을 하지 않고 의젓하게 굴었다.

나는 사실 그의 포텐셜을 잘 알고 있고 또 믿고 있다. 그는 작은 바람에도 미친듯이 흔들거리는 저 다리를 흔들림 없이 빠르게 달릴 수 있다. 그의 등에 타고 있을 때 나는 그다지 초라하지 않았기 때문에 속으로 의지하는 면이 크다.

하지만 또한 나는 그가 어떤 망아지였는지를 기억하고 있기 때문에 늘 육지에서는 고삐를 강하게 쥐고 풀어줄 수 없기도 했다.

그렇게 한번 육지에서 강하게 통제를 받고 섬으로 돌아오면 마치 전쟁터에 나갔다 온 듯 서로 지쳐버렸다.

그것은 점점 그에게 안 좋은 기억으로 남았고 그는 섬 밖으로 뛰쳐나가 다 부수고 싶은 욕구가 나올 때 마다 섬 안을 미친 듯이 뛰어다녔다.

나무 몇 개를 밟아 쓰러뜨리기도 했고, 흙을 미친듯이 뒷발로 파기도 했다. 들으라는 듯 히이잉~ 그는 크게 울부짖기도 했는데 나는 그저 그 모습을 멀리서 지켜볼 뿐이었다.

한껏 지친 말이 터벅터벅 나에게 다가와 힘 없는 눈으로 바라보면 나는 그를 조용히 안았다. 그도 나도 이 것이 최선이라는 것을 알고 있었다.
우리는 서로의 깊은 고뇌를 이해하고 있다.

- 사람들이 우리 섬을 뭐라고 부르는 지 알아?

- 몰라. 관심 없어. 뭐라고 부르는데?

- 흰 꽃이 피는 섬

- 아.

- 이 섬에 흰 꽃이 엄청 많이 핀다는 거 알고 있었어?

사람들은 태산목섬, 안개섬, 무인도, 이름 모를 섬 등 다양한 이름으로 나의 섬을 부르고 있다.
말은 나에게 그 중에서 가장 예쁜 이름을 알려주고 있는 것이다.
내가 잘 가지 않는 섬 반대편에 우거진 숲 속에는 봄이 되면 짧은 기간 폭죽처럼 하얀 꽃이 일시에 피었다가 지는 시기가 있는데, 그 시기에 나의 섬 근처에 왔었던 아주 소수의 사람들이 그렇게 부른다는 것을 알고 있다.

나는 그가 알고 있는 모든 것을 이미 알고 있었다.

- 미선나무야. 그 흰 꽃 말이야.

- 섬 반대편으로는 가지 않는 줄 알았는데?

- 내가 사는 곳인 걸, 가고 싶지 않을 뿐 알고 있어.

-아름다운 곳이야. 나는 네가 꼭 알았으면 좋겠어.

-알고 있어. 근데 쉽지 않네.

-그 하얀 꽃, 좋은 뜻을 가진 꽃이었으면 좋겠다.

- 모든 슬픔이 사라진다.

-아, 참 다행이다.

나를 등에 태우고 저 육지까지 원래는 길이었던 저 바다를 건너 육지
를 미친 듯 질주 했었을 때, 우리는 지금보다 행복 했었을까.

완전한 섬이 되었다고 느꼈던 그 무렵이었나 보다. 나의 친구 망아지
가 갈색 말로 성장을 끝냈던 것도.

이름도 꽃 말도 몰랐었던 그 하얀 꽃이 피는 섬을 맴 돌 때, 잠시라도

슬픔이 사라졌기를.

결국은 육지로 이어지는 - 길

밤이 되면 섬에는 어둠이 내려 앉았고, 육지는 찬란하게 빛났다.

도시 불빛으로 찬란한 육지의 중심에서 멀어질수록 어둠은 깊어지고 그래서 더 홀로 눈부신 등대가 하나 있다.

육지의 화려함 속에서는 등대의 불빛은 그저 초라할 뿐이다. 아니, 있는지도 모른다.

멀리 이 어둠으로 가득한 섬에서 비로소 등대의 불빛의 가치가 보인다.

비로소 섬에 안기면 빛은 더 강렬해지고 섬 또한 등대섬이라는 상징이 될 것이다.

누구나 빛에 대한 열망이 있으니 사람도 동물도 물고기도 심지어 벌레도 저 빛을 따라 모여 든게 된다.

모두가 열망하는 존재를 품는 것. 역설적이지만 어쩌면 스스로 고립을 택하여 섬이 된 것과 모순일 수 있다.

나는 사실 화려한 도시이고 싶었던 것일까.

등대의 빛을 품고 고립으로 벗어나려 하는 것일까. 아니면 단지 가지 못한 길에 대한 막연한 호기심일까.

빛은 고문이다. 어둠은 희망이다.

빛은 생각보다 도처에 존재했지만 대부분의 빛은 그저 허상이었다.

얼마나 많은 빛에 속았는지 셀 수가 없다.

그 빛은 가깝기도, 멀기도 했다. 가까운 빛은 대부분 어딘 가에 반사된 빛일 뿐이었다.

손에 닿을 수 있는 거리의 빛이란, 모두 가짜였다.

심지어 많은 준비와 시간과 노력이 필요한 먼 빛도 힘들게 닿아도 허상인 경우가 대부분이었다.

하지만 미련을 버리지 못하고 반사된 빛들을 쫓아서 하루 종일 들추어보곤 한다.

소득 없는 소일거리는 멈출 수 없는 시간 죽이기일 뿐이고, 그것은 그저 일종의 습관이 되기도 한다.

조금만 노력하면 닿을 수 있을 것 같은 빛은 의외로 멀리 있기도 하다.

금방 확인할 수 있을 것 같아서 준비가 안 된 상태로 빛을 쫓았다 가는 닿지도 못하고 돌아오는 길을 헤매기 십상이다.

그래서 점점 빛을 쫓기 위해서는 빛을 가려내는 법을 연구하게 되고, 빛을 정하게 되면 단단히 준비를 하고 말을 타고 육지로 떠나기도 한다.

하지만 결말은 늘 뻔했다.

지친 말과 함께 소득 없이 돌아올 뿐.

그래서 낮이 되면 결심한다. 다시는 빛을 쫓지 않겠다-

빛은 대부분 허상이고 희망고문이다. 몇 백만분의 일을 뚫고 행운의 빛을 찾을 확률을 위해 시간을 죽이고, 죽은 시간은 나의 곡식을 병들게 하고, 나의 땅은 생기를 잃는다.

지금 내가 가진 것에 집중하고 발전시키자. 모든 빛은 과거의 산물이고, 현재 존재 하는지조차 불확실 할 뿐이다.

빛 속에 사라진 빛은 눈에서 사라지고 마음에서 멀어진다.

하지만 밤이 되면 생각이 또 바뀐다. 어둠 속에 찬란하게 빛나는 저 빛은 마음을 또 들썩이게 한다.

오늘 있었던 현실적인 문제들, 고민들은 빛에 대한 목마름으로 아우성 치기 시작한다.

저 빛을 가질 수 있다면! 이 빌어먹을 현생 따위를 뒤집을 만한 큰 행운이자 전환점이 되어 줄 텐데!

내일은 저 빛을 따라가자. 오늘 유난히 밝고 나의 눈 속에 박혀 버린 저 매력적인 푸른 빛을 향해.

어둠은 또 다시 나를 밝은 빛에 눈 멀게 하며 꿈을 꾸게 한다.

그리고 또 낮이 되면?

푸른 빛은 태양빛에 비하면 아무것도 아니었다는 듯 자취를 감추고 나를 불태웠던 의지는 사그라들기 마련이다.

그 빛은 낮에도 밤에도 그대로인데 바뀌는 것은 낮과 밤, 그리고 내 마음뿐이었다.

매일 밤, 길을 떠나기 위해 짐을 싸고
매일 낮, 머물기 위해 다시 짐을 푼다.

내일이면 떠날 수 있다는 막연한 기대감.

내일 당장 떠나지 않을 것이라는 것을 알고 있다.

설렘으로 짐을 챙기는 그 행위 자체가 의미가 되어가고, 나는 비로소 잠이 든다. 그 잠은 피곤함과 설렘이 뒤섞여 달다.

짐을 싸지 않는 날은 우울함에 밤새 뒤척인다.

내일 아무 일도 일어나지 않는 다는 것을 인지하면 울적하다. 알게 되는 것을 알게 되지 않길 바란다.

낮과 밤, 오늘과 내일 생각이 바뀌고 변하고 뒤죽박죽되고 있는 와중에도 변하지 않는 한 가지.

섬에서 멀리 떨어진 저 바다 끝, 아니면 육지의 끝자락. 저 등대. 그리고 저 등대의 빛. 나의 꺼지지 않는 불에 대한 열망.

그것이 사람이든, 가치이든, 물질이든. 너무 소중해서 너무 기대해서 차마 시작조차 못하고 있는 저 빛에 대한 기대.

그 기대가 주는 실망이 모든 것을 다 태워버릴까 두려울 정도로 큰 기대.

언젠가 그것을 찾아가는 나의 여정도 언젠가는 기록될 것이다.

아니면, 사실 이미 그 길 위인가?

누군가는 그 섬을 안개가 껴 있어서 시야에서 자주 사라지는 외로워 보이는 이름모를 무인도로 기억한다.

나를 조금 아는 사람들은 미친 망아지가 살았던 커다란 태산목이 있는 섬으로 기억한다.

당신은 '흰 꽃이 피는 섬' 으로 불러 주길.

그러면 나는 마음 편하게 빛을 품고 등대섬이 되는 꿈을 꿀 수 있을 테니.

타인

사람사이

좁은 인간에서 넓은 인간으로

'인간관계'는 동어반복이다. '인간(人間)'이라는 말 자체에 관계를 내포하기 때문이다. 한자를 직역하면 '사람 사이'. 우리는 온전히 하나로서 정의될 수 없는 종이다. '좁은 인간(人間)'인 나로서는 조금은 탐탁지 않은 사실이다. 내가 좋아하는 소수의 사람만 만나고 (이마저도 가끔) 연속된 약속은 되도록 피하는 특성이 있는 나로서 말이다. 소수의 사람조차 나와 비슷한 사고방식과 가치관을 따르고 있는 사람들만 만났기에 인간관계에 대한 깊은 고찰은 없었다. 나와 너무 다른 사람이라면 안 만나면 그만이었기 때문이다.

이런 나에게 '넓은 인간(人間)'으로 나아가야 하는 미션이 주어졌다. 그 이유는 직업적인 특성이 큰데, 사람을 가르치는 교사가 되었기 때문이다. 매년 새롭게 맞이하는 학생, 학부모, 그리고 5년마다 새로운 일터로 발령 나는 구조로 인해 마주하는 새로운 동료들.. 이 얼마나 인간다운 직업인가. 모든 사회생활이 그렇겠지만, 사람을 마주하는 일은 쉽지가 않다. 특히 매년 새로운 사람들과 긴밀한 관계를 형성해야 한다는 것이 큰 부담이었다. 열심히 관계를 형성하여도 1년 뒤에 다시 처음부터 시작해야 하는 과정들이 마치 파도 앞 모래성을 쌓는 것 같았다. 특히 그 모래성에 큰 애정을 주어야 한다는 점이 정말로 안타까웠다. 계속 밀려오는 파도에 맞서다 보니 지쳐 곧 스러질 모래성을 쌓아야 할 의미도 찾지 못했다. 하지만 다행히도 내 주변에는 몇십 번의 모래성을 쌓아보신

선배 교사분들이 계셨다. 교무실 파티션 넘어 들리는 선배 교사들의 상담 내용, 눈으로 목격한 선생님들의 대처, 고민상담을 통한 조언 등 다양한 방면으로 보고 들으며 기존의 인간관계에 대한 가치관에 많은 변화를 겪었다.

분명 큰 변화는 큰 변화인데 나에게 실체로서 명확하게 다가오지 않았다. 이 중요한 변화에 형태를 부여하고 싶어 글을 통해 나타내고자 한다. 변화의 과정을 최대한 매끄럽게 전달하기 위해 한가지 사고의 틀을 빌려 오려 한다. 바로 헤겔의 변증법적 사유이다. '모든 규정은 곧 부정이다.'라는 대전제를 가지고 있는 철학을 내 생각을 규정하기 위해 활용한다는 것이 상당히 모순 같지만, 지금으로서 나의 가치관의 흐름을 유연하게 보여줄 수 있을 것으로 생각한다. 여기에 '정반합(正反合)'으로 불리는 변증법 논리의 삼 단계를 그대로 가져오지 않고 약간은 비틀어보며 사람 사이에 대한 내 생각들을 풀어보고자 한다.

정(正) : 이성과 냉정함에 기반을 둔 인간

대학 시절, 예비교사로서의 공동체 인성함양이라는 명목하에 1, 2학년은 전교생이 의무적으로 기숙사 생활을 해야 했다. 처음으로 가족의 품을 떠나 타지에서 전국 곳곳에 온 또래들을 만나 어색한 인사와 함께 같은 방에서 잠을 청하고 밥을 먹었다. 좁은 인간인 나는 그 생활이 숨막히고 불편했다. 어색한 공기의 공백을 메우기 위한 의미 없는 잡담과 그 무리에 도태되지 않기 위해 이어나가야 하는 아슬아슬한 친분.. 어떠한 갈등이 벌어져도 이상하지 않은 공간이기에 기숙사는 나에게 잠만 청하는 공간이 되었고 나머지 시간에는 내가 좋아하는 사람들과 밖에서 시간을 보내다가 왔다. 어쩌다가 룸메이트가 오랜만에 집으로 간다고 하면 겉으로는 한껏 아쉬운 척을 하며 속으로는 쾌재를 불렀다. 이렇듯 인간관계를 넓혀주는 시스템 안에서도 굴하지 않고 좁은 인간관계를 이어 나갔다. 갈등의 싹이 보이는 곳은 얼씬도 하지 않았기에 타인과의 갈등을 경험하는 것은 손에 꼽는 일이었다.

그럼에도 타인과의 갈등을 마주했을 때, 나에게는 '원칙'이 그 중심에 있었다. 갈등의 원인은 무엇인지, 어떤 것이 논리적이고 이치에 합당하는지를 따지며 대응하였다. (지금 생각해보면 원칙이라는 것도 나의 기준이었다.) 내 생각을 표현하는 데 주저함이 없었고, 그만큼 상대방에게 나의 의도가 확실히 각인되었다. 상대방을 생각해 빙빙 돌려 이야기하는 것은 시간 낭비이자 감정낭비라고 생각했다. 예외없는 냉정함이 분별없는 다정함보다 우위라고 여기며 감정을 중심에 두는 것은 성숙하지 못한 태도라고 여긴 것이다. 그렇기에 상대방의 기분보다는 옳고 그름이 우선되었다. 상대방을 위한 어쭙잖은 위로와 공감은 그저 겉치레일 뿐 실속이 없으며 장기적으로는 상대방에게도 독이라고 생각했다. 공감하더라도 그것을 크게 표현하는 것에 본능적인 거부감이 느껴졌다. 마치 가면을 쓴 기분이 들었다. 그리고 상대방도 그 얼기설기 엮어진 가면을 보고 실망할 것이라고 지레짐작했다. 그럼에도 공감을 크게 표현할 수밖에 없을 때, 나의 쥐어짠 공감에 돌아오는 반응은 영혼이 없다는 말이었다. 그렇기에 공감은 나에게 대학 시절 어쩔 수 없이 마주한 어색한 룸

메이트 같은 존재였다.

이런 내가 갓 교사로 임용되어 현장에 내던져졌을 때, 「안나 카레니나」의 첫 문장이 떠올랐다.

'행복한 가정은 모두 모습이 비슷하고, 불행한 가정은 모두 제각각의 불행을 안고 있다.'

마치 이 문장처럼 안정된 인간관계는 모두 모습이 비슷한 반면, 굴곡이 많은 인간관계는 모두 제각각의 갈등을 안고 있다.

"맨날 아이가 다쳐오네요. 신경 좀 써주세요."
"아이가 잘못했다 하더라도 혼내지 말고 아이의 마음을 읽어주세요."
"선생님이면 해주셔야 하는 거 아닌가요?"
(위의 문장들은 굉장히 순화했다.)

지금껏 갈등을 회피해온 나에게 가지각색의 갈등이 몰려오는 것은 처음이었기에 따르릉 울리는 교무실의 전화는 공포였다. 벨 소리가 울리면 나도 모르게 온몸이 긴장했다. '또 어떤 이야기로 나를 힘들게 할까?' 하는 걱정과 함께 전화선을 뽑아버리고 싶었지만, 그 누구도 대신해줄 수 없기에 마음을 굳게 먹고 수화기를 들었다. 여느 날처럼 마무리가 씁쓸하게 끝난 통화에 끊고도 찝찝함이 가시지 않았다. '분명 내 잘못이 아님에도 무엇이 나를 이렇게 찝찝하게 만들까?' 끝없는 복기 끝에 교무실 옆자리에 계신 선생님들께 도움을 요청했다.

"선생님, 이렇게 상대방에 대한 존중 없이 적대적인 사람에게는 제가 어떻게 대처를 해야 하나요?"

선생님의 대답은 '공감'이었다. 참 절망적인 단어가 아닐 수 없다. 공감은 내가 이해할 수 있는 상황에서 이루어지는 것이 아닌가? 혹여 이해가 되는 상황이더라도 앞서 말했듯 '너의 반응에는 영혼이 없다.'라는 수차례 들은 나로서 정말 어려운 단어였다. 임용고시를 준비할 때부터 수없이 마주친 단어 '공감'. 오죽하면 임용고시 2차 시험에 문제 제기하는 학부모에 올바르게 대처하는 상황의 모범답안은 항상 '공감으로부터 시작하기'일까. 텍스트 그 자체로만 받아들이다가 이것을 체화시켜야 한다는 생각에 자신이 없었다.

반(反)으로 가는 휴게소에서

커다란 숙제가 내 시야마저 가려버려 한 걸음 떼기조차 버거웠다. 앞으로 가야 할지 뒤로 가야 할지 방향조차 가늠이 가지 않았다. 어쩌면 제자리를 빙빙 돌고 있을 수도. 뒤에서는 헤매는 나를 향해 신경질적인 경적소리가 들려오는 듯했다. 귀를 막고 엎드려 모든 것을 피하고 싶었다. 내가 길을 잘못 든 것은 아닐까? 나의 목적지는 처음부터 잘못된 것 같아. 한참을 이도 저도 가지 못하고 고개를 파묻고 있을 때 저 멀리 익숙한 불빛이 반짝이고 있었다. 핸들을 틀어 잠시 쉬어가기로 한다.

이곳은 매일 저녁 6시에 열리는 곳으로 손님은 나를 포함해서 3명이 있다. 메뉴는 주인장 마음대로. 때때로 나의 취향을 적극 반영해 주신다. 돈은 절대 받지 않으시지만 지켜야 하는 한가지 규칙이 있다. 혼밥은 절대 허용되지 않고 항상 마주 보고 먹어야 하며 오늘 있었던 일을 상세히 고하여야 한다. 좁은 인간인 나조차 이 순간은 속에 있는 이야기를 맘껏 내뱉는다. 무엇을 말하든 부끄럽지 않고 왜곡해서 들을까 걱정하지 않아도 되는, 날 것의 대화가 허용되는 곳이다.

미묘하게 달라진 서로의 감정과 행동을 누구보다 먼저 알아채며 보듬어준다. 밥 한마디에 위로 한 숟갈이 텅 빈 두려움을 꾹꾹 누른다. 괴로웠던 하루를 반찬 삼아 밥 한 그릇을 싹 비우고 나면 얹혔던 허기짐이 쑥 내려간다. 길을 헤매었던 기억은 어느새 저 멀리 희미해지고 다시 길을 나설 용기가 스멀스멀 피어오른다. 이쯤 되면 대체 어떤 가게인지 궁금해질 것이다. 하지만 아쉽게도 명확한 위치는 알려줄 수 없다. 우리 주인장이 허용하지 않을뿐더러 사람마다 맛집은 다 다르지 않은가.

가는 길이 험난할 때, 때로는 길이 잘못 든 것 같을 때 나는 주저하지 않고 이곳으로 간다. 매일 6시가 되면 나는 굶주린 배를 붙들고 영문 모를 헛구역질을 삼키며 허기짐을 채우러 간다. 따뜻한 밥 짓는 냄새가 외로웠던 나를 토닥여주고 얹힌 허기짐을 내려줄 것이라는 틀림없는 믿음을 갖고선.

반(反) : 공감과 다정함에 기반을 둔 인간

나의 성정에 맞지 않아 회피하고 싶었지만 결국은 부딪혀보기로 했다. 애초에 포기해버리면 나 자신을 한계 짓는 듯한 느낌이 들었기 때문이다. 사람을 하나의 틀로 규정해버리는 듯한 MBTI를 싫어하는 나로서 '그냥 나는 좁은 인간이니까 할 수 없어.'라고 단정 짓기 싫었다. 이 기회로 내가 부족했던 점을 채울 수 있는 시간이라고 여기기로 마음을 먹었다.

* 말은 마음을 이끈다

우선 내가 공감이 가든 안 가든 공감의 언어라도 내뱉어 보았다. 어차피 난 그 사람이 되지 않는 이상 진정한 공감은 허상이라고 생각하고 그 그림자라도 쫓아가 보자는 마음이었다. 처음에는 나의 의지대로 내뱉는 말임에도 불구하고 목구멍에서 턱턱 걸렸다. 마치 맹목적으로 '사랑합니다 고객님'을 외치는 ARS 녹음기가 된 것 같았다. 알맹이 없는 음성이 상대방에게 닿을까 하는 의구심마저 들었다.

하지만 말의 힘은 상당히 컸다. 특히 나 자신에게 주는 힘이 컸다. 말을 내뱉음으로써 나도 모르게 나의 마음이 타인을 향해 열릴 준비를 마치게 하였다. '그렇구나.'의 말은 나의 마음이 그 사람을 향하게 하였다. 평소라면 이해할 생각조차 하지 않을 사람들의 입장을 생각해보려 했다. 그때부터 조금씩 말에 마음이 실리고 항상 긴장하던 마음이 편해지기 시작해졌다. 오히려 옳고 그름과 이유를 따지며 그 사람을 미워하던 때가 괴로웠다. 어쩌면 나를 힘들게 하는 것은 사람이 아니라 그 사람을 대하는 나의 마음이 아니었을까. 어찌 보면 정신승리 아닌가 하는 생각들도 있을 것이다. 정신 승리 맞다. 망망대해의 등대지기를 하지 않는 이상 나는 사람들 속에 놓여있을 것이다. 그 상황 속에서 내가 유일하게 그리고 확실하게 바꿀 수 있는 것은 나의 정신인 마음뿐이다.

* 표현과 포장

아이들이 갈등의 상황에 있을 때 항상 말해주었던 말들이 떠올랐다. '나의 마음을 말하지 않으면 다른 사람은 몰라. 네가 말로 표현해주어야지 알게 되는 거야.' 하지만 막상 나는 그 가르침을 실천하지 않았다. 타인은 내 마음을 모른다. 오직 표현하는 수단인 말과 행동을 볼 뿐이다. 내가 아무리 귀한 마음을 가지고 있더라도 퉁명한 행동과 말을 한다면 나는 그저 퉁명한 사람일 뿐이다.

말이 곧 마음이라는 생각으로 소통을 시작했다. 작은 일이라도 한 번 더 이야기를 건네었다. 한 마디 한 마디가 쌓여갈수록 그 말은 곧 내가 되었고 견고한 지지대가 되어 오해의 불씨도 쉽게 사그라질 수 있었다. 말이 길어질수록 오해도 쌓인다며 말이 많은 것을 경계하기도 하지만 그것의 해결책도 결국 말이었다. 나의 행동이 조금이라도 오해를 낳을 수 있다는 생각이 든다면, '나를 잘 아는 사람이니 그렇게 생각하지 않을 거야.'라고 그냥 넘어가기보다는 '나의 의도는 이러한 것이었어.'라고 한 번 더 말로 짚어주는 것이다. 굳이 나의 마음을 말하지 않아도 상대방은 알 것이라는 모호한 믿음에 의지하기보다 확실한 말 한마디로 드러내 주는 것이다.

말을 어떻게 전하느냐도 큰 부분을 차지한다. 말의 포장보다 요지가 중요하다는 생각을 했던 나로서 말의 포장은 그저 겉치레로 느껴졌다. 하지만 이 생각은 우리가 일상생활에서 건네는 말이 어느 논문이나 보고서에 실리는 것이 아니라 사람의 마음을 향한 소리라는 점을 간과한 것이었다.

말의 포장이란 안에 담긴 소중한 의도가 훼손되지 않도록 해주는 보호막이다. 내가 보낸 것은 아름다운 하트였는데 포장이 되어있지 않다면 이리저리 치여 상대방에게 도착했을 때는 그저 뭉뚝한 동그라미가 되어버렸을 수 있다. 포장은 내용물을 위한 것뿐만 아니라 수신인을 위한 것이기도 하다. 상대방이 좋아하는 것만 보내면 좋으련만 어쩔 수 없이 상대방에게 필요하지만 그리 유쾌하지 않은 것을 보내야 할 때도 있다. 이때 포장이라도 상대방의 기분을 좋게 해주기를 바라며 신중하게 포장지를 고르고 꽁꽁 여며준다. 포장은 나의 의도와 상대방의 마음이 쉽게 부서지지 않도록 하는 발신인의 배려이다.

* 강인한 다정함

냉정함이 어른다움이라고 여기고 다정함이 내 유약함을 드러내는 것으로 생각했다. 하지만 깊이 들여다보면 그 기저에는 거절에 대한 두려움으로 냉정함 뒤에 숨은 나의 모습이 보였다. 다정함은 상대방이 내비치는 차가움에도 그것조차 따뜻하게 데우는 강인함이었으며 그 누구보다 내면이 단단한 사람이 가질 수 있는 능력이었다.

냉정은 벽을 쌓아올리는 과정이다. 가녀린 나를 보호하기 위해 물 한 방울 들어오지 못하도록 높고 단단하게 쌓아올린다. 그 누구도 그 안을 들여다볼 수 없다. 이 말은 곧 그 안에 있는 나조차 벽 너머를 바라볼 수 없다는 것이다. 바깥에 따뜻한 봄이 왔는지, 어떤 이웃이 살고 있는지 전혀 알 수 없다. 반면 다정은 벽을 낮추는 과정이다. 서로의 얼굴을 보이며 안부인사를 나눌 수 있도록, 이웃의 마당에 자란 나무에 달린 단감을 나누어 먹을 수 있도록.

두 과정 모두 인간관계에 필요한 과정이지만 난이도를 따지면 후자가 더 높다. 냉정은 나 혼자만의 구조물이지만 다정은 타인의 구조물에 관여하는 것이기 때문이다. 벽을 낮추었을 때 환영할지 냉대할지 모르는 긴장감 속에서 기꺼이 부수고 들어가는 것, 그것이 강인한 다정함이다. 그리고 그 다정함은 냉대를 마주할지라도 스러지지 않을 힘을 가지고 있다.

교직에서 보고 겪었던 다양한 경험들로 넓은 인간으로 나아가기 위한 소양을 쌓으며 이전과 전혀 다른 관점으로 사람을 바라볼 수 있었다. 좁은 인간으로서의 23년 살아온 나와 3년간의 넓은 인간으로서의 경험은 양으로 비교하면 현저히 작지만, 그 질은 비슷할 만큼 밀도가 매우 높은 시간이었다. 안에 있던 많은 것들이 깨지고 재정립되었다.

관성으로 흔들리지 않도록

20년이 넘도록 유지했던 좁은 인간이기에 방향을 틀 때의 관성은 그에 비례할 수밖에 없다. 급격한 방향 전환으로 몸이 튕겨져나가는 고통은 나 혼자서 온전히 감당하기 어렵다. 운 좋지 않게 창밖으로 떨어지면 어떡하지. 걱정을 달고 사는 나는 마음먹었다고 하더라도 불안할 수밖에 없었다.

그때 나의 또 다른 인간관계인 우리 반 아이들이 보였다. 그들은 인간관계에서 가장 순수한 모습을 보여주었다. 나의 손의 반도 안되는 작은 손으로 할 수 있는 온 힘을 다해 가장 좋다고 생각하는 것을 만들어주고 아낌없이 나누어주었다. '선생님은 무슨 색깔을 제일 좋아해요?', '선생님은 어떤 과일을 제일 좋아해요?' 나 스스로에게도 물어보지 못한 것을 궁금해하며 알고 싶어했다. 한 글자 한 글자 꾹꾹 눌러쓴 '선생님 사랑해요.'가 적혀진 사랑편지도 매일같이 받았다. 어디서 이렇게 순수한 관심과 사랑을 받을 수 있을까. 나를 위해서 태권도에서 열심히 연습한 발차기를 보여주고, 들려주고 싶은 동요가 있어 열심히 연습한 곡을 쳐주고, 저 멀리서 나를 발견하면 있는 힘껏 뛰어와 안겨주는 모든 순간이 그들만의 꾸밈없는 사랑 표현이었다.

얼마 전에 장애이해 교육일환으로 아이들과 수어체험을 한 적이 있었다. 수업이 끝나고 퇴근하던 중에 학교 놀이터에서 놀고 있는 우리 반 아이가 보였다. 눈이 마주치자 멀리 있던 아이가 나에게 보여줄 것이 있다며 뛰어왔다. 평소 눈웃음이 예뻤던 그 아이는 내가 좋아하는 웃음을 지으며 오른손을 주먹 쥐고 왼 손바닥을 위로 빙빙 돌렸다. 사랑한다는 수어였다. 그날의 퇴근길은 유독 따뜻했다. 좋아한다면 좋아한다고 온몸으로 표현해주는 아이들에게는 마음의 이면이 없다. 보여주는 것 그대로이다. 누군가의 말 속에서 그 행간을 파악하려는 피곤한 탐색 없이 그대로를 받아들이면 된다. 나도 그들에게 꾸밈없는 사랑을 줄 수 있다는 것이 그 자체로 행복했다. 복잡했던 나의 인간관계에 대한 고민은 단순함 속에서 숨통을 틔웠다.

관성으로 인한 충격에 대비해 내가 할 수 있는 것은 미리 안전띠를 하는 것이다. 넓은 인간이 되는 과정에서의 저항력이 클 때 가끔 좁은 인간으로 안전띠를 매어보았다. 퇴근 후와 주말에는 온전히 혼자만의 시간을 보장해주었다. 메신저에 울리는 연락을 뒤로하고 내 방에서 온종일 우주 다큐멘터리를 보며 나 혼자만의 우주를 고요하게 유영하기도 하고 내가 좋아하는 LP 카페에서 재즈 음악을 들으며 글을 쓰기도 한다. (지금 이 부분을 쓰고 있는 나의 모습이기도 하다.) 온전히 나만을 위해 행동하고 귀 기울이며 좁은 인간으로서의 즐거움을 한껏 누렸다.

더 나아가서 직장에서도 좁은 인간의 면모를 조금씩 드러내기도 했다. 학부모 상담에서 공감으로는 풀리지 않는 문제에 마주하자, 용기를 내어 무게중심을 감성에서 이성 쪽으로 더 옮겨보았다. 이때, 나의 의도가 더 확실하게 전달되면서 학생의 올바른 성장에 도움이 되었던 적이 있었다. 극복해야 한다고 여겼던 나의 특성이 오히려 도달해야 한다고 생각했던 특성을 보완해준 것이다. 안전띠는 큰 관성 속에서 대책 없이 끌려가지 않고 중심을 잡을 수 있도록 해주었다.

해(解) : 두 갈래에서의 혼돈

> **解** (풀 해)
> 1. 가르다, 분할하다, 떼어내다
> 2. 방정식이나 부등식을 성립하게 하는 미지수의 값

좁은 인간과 넓은 인간, 두 갈래의 길에서 주춤하고 있다. 좁은 인간이었다가 넓은 인간을 맛보았으니 두 측면에 대한 경험을 바탕으로 뚜렷한 해답이 나올 것이라고 예상했지만 그리 쉽지 않은 문제였다. 예외

없는 냉정함과 분별없는 다정함은 너무 많은 변수에 휘둘렸다. 어떤 사람인가, 어떤 상황인가, 그리고 그때의 나는 어떠한가. 한 가지로 밀고 나가기에는 이 세상은 너무나도 복잡하고 가변적이다. 그러기에 저울질은 그만하기로 하였다. 그렇다면 저울계에서 내려온 이 둘은 경계가 모호해져 '다정한 냉정' 또는 '냉정한 다정'으로 합쳐질 수 있지 않을까. 하지만 이 또한 어느 부분에 방점을 찍느냐에 따라 강조점이 달라진다. '다정한 냉정'은 '냉정'에 '냉정한 다정'은 '다정'에 본질을 두고 있다. 또 저울계에 올라갈 수밖에 없는 것이다. 그렇기에 합(合)으로 나가기에는 못 미치지만, 한층 다른 차원에서 다시 분열되는 단계인 해(解) 단계를 제시해본다.

합에 대한 고민으로 가득할 무렵 평소 아득한 저 너머의 이야기를 좋아하는 나로서 우연히 삼체문제라는 것을 접하게 되었다. 삼체문제는 세 개의 물체 간의 상호작용과 움직임을 다루는 고전역학으로서 세 행성 간의 중력으로 서로가 어떤 궤도를 그리며 움직일 것인가 예측하는 문제이다. 서로가 끌어당기는 힘이 복잡하게 작용하면서 세 행성은 다양한 움직임을 보인다. 초기에 과학자들은 고전역학으로 이 문제를 쉽게 풀 수 있다고 예상했지만, 번번이 실패했다. 나중에 한 과학자가 이 문제에는 일반 해(解)가 없음을 밝혀냈다. 세 행성의 위치와 속도를 나노미터로 확실하게 알 수 없는 이상, 나노미터만큼의 오류라도 생기면 결과가 다 어그러져 버린다는 것이다. 다시 말해 초기조건의 정확도가 100퍼센트가 아닌 이상 결과는 예측 불가능하다는 것이다.

이러한 혼란스러운 우주의 운동을 보며 소우주라고 불리는 인간도 삼체문제에 지배되는 것은 아닐까 생각해보았다. 상대방은커녕 나조차도 지금 나의 마음이 어떤 위치와 속도를 가졌는지 알 수 없는데 내가 감히 상대방을 예측할 수 있을까. 예측한다고 해도 상대방이 느끼는 것을 왜곡 없이 온전히 파악할 수 있을까. 가능을 외치는 것은 오만이며 내가 그가 아니기에 불가능에 가까워 보인다. 그렇다고 '지피지기 백전백승'이 아닌 이상 의미가 없다는 것이 아니며 지향하자는 것도 아니다. 우리의 목적은 전쟁에서 이기려는 것이 아니라 어우러져 살아가려는 것이다. 중요한 것은 궤도 그 자체가 아니라 궤도를 대하는 우리의 태도이다. 우리의 궤도가 겹쳐 충돌하려고 할 때 좁은 인간이 되어 서로의 속도를 조금씩 줄여준다면, 너무 멀어져 상대방의 중력이 느껴지지 않을 때 넓은 인간이 되어 위치를 좁혀준다면 해(解) 없는 혼돈 속에 조금이나마 안정을 찾을 수 있지 않을까. 혹여나 충돌하더라도 괜찮다. 충돌로 인해 오히려 궤도가 수정되어 가보지 못한 길을 갈 수 있다. 갈등을 피하려던 내가 충돌 덕분에 새로운 인간관계에 눈을 떴듯이. 더하여, 충돌은 조금 더 안정된 궤도를 만들어갈 수 있는 초석이 될 수 있다. 지난번에 오른쪽으로 부딪혔던 행성을 보고선 이번에는 왼쪽으로 거리를 벌려보는 시도를 해보는 것이다. 미숙한 충돌이 능숙한 마중으로 변해갈 즈음에 특수 해인 라그랑주 점[1]을 발견할 수 있을 것이라는 희망을 품어본다. 사람 사이에서 해를 찾기 위해 고군분투한다면 언젠가 나만의 라그랑주 점을 발견할 수 있지 않을까.

---

1   삼체문제(三體問題)는 일반적으로 그 해를 구할 수 없지만, 라그랑주는 특수한 예로서, 제3의 천체의 질량을 무시할 수 있을 경우, 제3천체는 라그랑주의 특수해 중 삼각형을 이루는 2점에 있을 때 매우 안정하다는 것을 증명하였다. 이 2점을 특별히 라그랑주 점이라고 한다. 「라그랑주 점(Lagrangian point)」,『두산백과사전』(https://zrr.kr/AHy3), 2024년 05월 12일 기준

이승에서

돌봄을 자르다

돌봄은 개념이 아니다

비장애인 자식도 키울 여건이 되지 않으면 보육원에 맡기곤 한다. 우리 집 얘기는 아니다.

경기도 하위 2%의 지능을 가진 첫째와, 상위 0.2%인 둘째. 둘째를 낳아 안았을 때 어머니는 첫째와는 다르다는 걸 깨달았다. 반사 반응이 달랐고 발달도 늦었다. 첫째를 낳은 나이가 24살, 둘째를 낳은 나이가 27살. 젊다 못해 어리다. 내가 지금 22살이고 그때의 어머니와 마찬가지로 대학에 다니고 있는데, 내년에 애를 가지게 되고 낳아서 기를 것이라는 말을 들으면 이렇게 대답할 것이다. 예? 제가요? 인생에 남자라고는 손꼽게 없는 제가요? 대학은 어쩌고요? 휴학해야지. 그럼 졸업은 어떡하고요? 자퇴해야지. 네? 그럼 제 인생은요?

그건 네가 알아서 하는 거지.

그래서 혼자 애 둘을 끌어안고 알아서 살아나간 사람을 하나 안다. 그러니 나는 그에 대한 존경을 담아 소개한다. 당신이 어떻게 생각할지는 모르겠으나, 이 한 단락만으로도 그가 적어도 범인은 아님을 알 수 있으리라고 생각한다. 통상적인 20세기 태생 20대 여성에게 당장 집이 있었겠는가, 차가 있었겠는가? 아니면 바깥사람이나 안사람이 있었나? 차 이전에 면허가 없고, 면허 이전에 돈이 없다. 직업계고를 나와 취업을 했으면 모를까 저 아랫목에서 서울로 상경한 일개 여대생이었다. 외가는 돈 안 되는 가족은 가족 취급을 안 했다. 가부장 관습을 수호하는 호주제 폐지가 2008년이다. 전국장애인차별연대 출범이 2007년이고, 2024년 오늘도 휠체어 사용자들이 지하철에서 경찰에게 제압당하고 가로막힌다. 총인구 대비 장애 인구비율 5%, 그중 90%가 후천적으로 장애를 얻는다. 전국장애인차별철폐연대 홈페이지에 들어가면 이런 문구가 지나간다. 장애인권리보장법, 장애인탈시설지원법 제정하라!

눈 뜨고 살아간 30년 동안 중증지적장애라는 것을 인식조차 한 적이 없었는데, 자식을 낳고 보니 세상에 생겨난 것이다. 태어날 적부터 뇌에 어떤 결함이 있다고 했다. 그냥 그렇게 태어난 것이다. 같은 배에서 태어났는데 애는 IQ가 50이 겨우 넘고, 쟤는 130이 넘고. 그냥 그런 거였다.

처음에는 그 지난한 과정을 써볼 생각이 없냐고 물었다. 어머니는 자신에게는 글재주가 없으니, 네가 써보는 것이 어떻겠냐고 펜대를 돌려주었다. 그러니 나는 내 얘기를 하는 것조차 귀찮아지기 전에 펜을 들기로 했다. 특수한 가정환경을 학창시절에는 내내 숨겼고 직장생활에서는 드러낼 필요조차 없었다. 미숙한 아이들은 공통점을 찾지만, 성숙한 어른들은 전제로 깔아버리기 때문이다. 지금 이 자리에 내 주변에 있다면 당신은 나와 비슷한 사람일 것이다, 하고. 혹은 사회의 일부로서 스스로 정체성이 확고해질수록 그에 비례하게 남에게 관심을 덜 두는 것일까? 그럴 수도 있겠다. 언제나 예민하게 촉각을 곤두세우며 주변을 살피는 부류였는데, 사회생활을 하며 남들은 어쨌거나 자신의 시선대로 나를 본다는 것을 느끼고는 관두었다.

내가 하나하나 신경 써 고르는 말보다 나의 지위, 평소 태도-그 자리에 얼마나 잘 어우러지는지, 얼마나 그들의 비위를 더 편하게 만드는지가 더 중요하다면 말이다. 나로서는 집 안이나 집 밖이나 다름이 없어진다. 무언가를 느끼고 생각하는 '나'를 배제하고 상대에게 맞추는 건 정말 쉽다. 서랍 하나를 빼듯 그냥 머릿속에서 나를 빼면 그만이다. 대학 전공도 4년에서 6년이고, 기술 자격증도 실무 경력 4년이면 응시 요건을 준다. 나는 평생 했다. 초등학교에 일찍이 들어가기 전까지는 고아원에 버려질까 두려웠고 초등학교에 들어가고서는 엄마가 죽어버릴까봐 두려웠다. 과거에도 지금도 나는 어머니가 자살한다고 한들 그리 놀랍지는 않을 것 같다. 사는게 좋다는 말을 듣기까지 너무 오래 걸렸기 때문이다. 내가 중학생, 언니가 고등학생일 때 언니가 자살기도를 했다. 그것도 이해할 수 있었다. IQ 평균 100의 세상에서 반푼이로 살아가는게 어디 제정신으로 되겠는가? 어머니는 언니의 사회성을 기르기 위해 일반계고에 보냈고, 확실히 인생의 기준을 긋는 데에 도움이 되었지만 마냥 옳은 선택은 아니었다. 솔직히 학창시절에 항상 뛰어났던 사람이 그러지 못하는 괴로움을 이해하지 못했기에 한 선택이라고 생각한다.

상황을 보고 듣고 읽고 이해하는 건 항상 어렵지 않았다. 그게 매번 어렵게 느껴진다면, 쉽고 어려움의 기준을 바꿔버리면 됐다. 그리고 생각할 수 있는 시간 자체를 줄였다. 적어도 잘 때만큼은 오로지 안식을 누릴 수 있었다. 악몽을 꾸면 깨고 다시 자면 그만이다. 웬만한 악몽은 깨고 난 현실만 못했다.

돌아와서, 그날 내 안에 책 한 권이 생겼다. 제목은 의외로 빨리 떠올랐다. <영원한 11살은 살아있어서>… 왜 날 괴롭게 하는지. 이 글은 말하자면 프리퀄이다. 무언가의 본질을 파고들기 위해서는 앞서 외면을 충분히 관찰하고 시작할 지점을 찾아야 한다. 갈라보든, 찔러보든, 거기에 대고 무엇을 하려고 하든 간에. 아무리 사사로운 생각이라도 모든 생

돌봄을 자르다

각은 유기적으로 연결되어있으니 말이다.

괴롭게 왜 살아있냐는 말은 그러지 않는 편이 더 낫다는 의미를 품고 있다. 이는 수동적인 부정으로, 능동적인 부정과는 그 의미가 다르다. 적극적 안락사와 수동적 안락사의 차이를 알면 쉽다. "생명 연장하는 데에 드는 비용이 너무 비싸요. 그만두기 위해서 적극적인 조치를 취할 의향이 있어요." 버거운 생애, 고통의 총량을 계산하는 건 너무나 쉬운 일이다.

그래도 어머니는 사는게 좋다고 하셨다. 그렇다면 다행한 일이지만, 나는 그 정도는 아니다. 어쩌면 이 차이는 스스로 인정할 정도로 제 인생을 꼬아본 사람과 그렇지 않은 사람의 차이일지도 모르겠다.

생각해보라. 당신은 형제자매가 있는가? 없다손 치더라도 난데없이 늦둥이 동생이 생겼거나 혹여 양친이 당신을 속이고 먼저 포기한 형제가 있었는데, 그게 어떤 종류든 장애가 있다고 생각해보라. 썩 유쾌한가? 이는 당신의 도덕성을 시험하려는 의도가 아니다. 그냥 사람은 무언가를 딱 듣자마자 "아무래도 인생이 꼬인 것 같은데"하는 본능적인 판단이 먼저 들게 되는 법이다. 오히려 "내 인생이 꼬였구나"라고 생각한다면 상당히 도덕적인 사람이라고도 할 수 있다. 도의적인 책임과 의무를 짊어지겠다는 전제가 깔려있기 때문이다. 당장 가족 중에 그러한 사람이 없는데도 불쑥 튀어나온 도의적인 짐을 나눌 '수 있는 시민'을 육성하는 것이 현대 도덕 교육의 목적이리라.

적어도 어느 날 난데없이 언니가 장애인이라는 말을 들은 11살 여자애는 그랬다.

이해하는 데에 썩 오랜 시간이나 설명은 필요하지 않았다. 어머니의 공식 선언은 온점이었다. 세 가족 중 누구에게든, 온점이었다. 돌아보면 그 인정 하나에 오래도 걸렸다 싶다. 수많은 이유가 쌓여 더는 외면할 수 없었을 것이다. 그 계기 중 하나를 안다. 어머니는 딱 먹물쟁이 타입이었고, 교육에 목을 맸다. 둘째야 학교에 보내놓으면 알아서 눈 쏟아지는 시험지를 가져오니 첫째의 교육에 매진했다. 퇴근하고 애들을 씻기고 밥 먹이고, 첫째를 붙잡아놓고 직접 가르쳤다. 애가 적어도 의무교육 과정은 소화할 수 있도록. 우리나라 의무교육은 중학교까지다. 고등학교는 (2021년부터) 무상교육이지 의무교육이 아니다. 어머니는 어떻게든 언니를 중학교 과정까지 끌고 올라갔다. 지금 생각해보면 매우 놀랍고 대단한 일이다. 기껏해야 초등학교 4학년 수준이 '될 수 있는' 애를 데려다 어떻게 중학교 과정까지 끌어올린 걸까? 말장난 같은 일이다.

말장난 같은 일은 한 번에 하나만 일어나지 않았다. 빠른년생으로 초등학교 4학년, 10살이었던 나는 우쭐거리는 마음 반, 그만 좀 반복했으면 하는 마음 반으로 수학 음수 개념 문제를 어깨너머로 풀었다. 그때의 반응이나 분위기는 기억나지 않는다. 그저 그때 한 다짐만이 떠오를 뿐. 앞으로 절대로 잘난 척하지 말아야겠다는, 심장에 꿰어버린 그 다짐. 그날 어머니는 온점을 찍으셨으리라.

개인 휴대전화가 보급되기 시작했어도 아직 애들에게 들려주지는 않던 시절에 나는 일찍 핸드폰을 가진 아이였다. "언니한테 무슨 일이 있으면 엄마한테 전화해!" 그때부터 언니가 어딘가 다른 아이라는 걸 알았다. 하루가 다르게 쑥쑥 크는 아이들의 1년은 참 크지 않은가. 내가 유독 내 나이 또래보다 빠른 것도 언니가 유독 언니 나이 또래보다 느린 것도 알 수밖에 없었다. 집안에서 둘이 자란 것이 아니라 교회 산하 종일 돌봄 학원에서 자랐기 때문이다. 남자애들은 굼뜬 언니에게 하드커버 책을 던졌다. 머리를 맞히면 3점, 가슴이나 등을 맞히면 2점, 팔을 맞히면 1점. 공교육은 폭력은 신고하라고, 어른에게 알리라고 했다. 그건 양친이 다 있는 집의 얘기였다. 기둥이 하나 있는 집은 잠시라도 빼면 무너진다. 나는 어른을 부르는 대신 학원에서 여자애들과 욕을 했다. 언니를 보호하는 일이지만 이는 나를 보호하는 일이기도 했다. 가족이란 '나'의 외장형 일부이기 때문이다. 나는 내 마음을 돌보기 위해 언니를 보호했다. 이 행실은 습관이 되었고, 일상이 되었다.

10년 전. 세월호 참사가 있었다. 그 전이었던가, 그 후였던가? 단원구에 살았다. 언니가 식칼로 자살 기도를 했다. 나는 식칼을 잡지 못하게 되었다. 종종 후회한다.

우습게도 그 시절에 친구가 제일 많았다. 내가 이상하지 않다는 걸 끊임없이 확인해야 했으므로. 자기증명이라는 얄팍한 동기였으니 오래가지는 않았다. 반에서 무시당하지 않을 정도만 성적을 유지하던 나는 고등학교에 가서야 공부를 시작했다. 밥벌이를 하면 내가 밥버러지 병신이라는 생각에서 벗어날 수 있을 것 같았다. 적어도 배급을 받아먹으며 연명하는 것보다는 나은 기분으로 살 수 있을 것 같았다. 빠른년생이라 한국 나이 18살에 공무원 시험을 쳤다. 붙었다. 와, 최연소 공무원!

20살이 되기 전에 밧줄을 샀다. 그리고 두 달은 누워서 숨만 쉬며 지냈다. 의사가 입원을 권했지만 돈 없다는 말에 쏙 들어갔다. 지긋지긋하던 가족들은 발소리마저 죽여가며 내 수발을 들었다. 제때 잠을 깨우고, 밥을 먹이고, 약을 먹이고, 씻게 하고, 끝도 없이 자게 됐다. 멀리 사는 친구는 눈물로 두드리는 카톡을 다 받아주었다. 남은 인생이 너무 길었는데, 문득 시간이 많이 지났고. 병가를 다 쓰고 복귀했다. 고졸 미성년자에게 공무원은 과분한 직업이니까. 아니, 이제는 성인이었다. 문제 하나 없는 깨끗한 뇌를 가지고 바닥을 기는 20살. 다행히도 심박수가 높았고, 이따금 심장이 아팠다. 의사는 긴장을 풀 수 없는 환경에서 자라온 탓이라고 했다. 앞으로도 긴장을 풀 일은 없었으니 약을 먹었다. 둘째는 안정적인 직장을 잡고 독립했고, 첫째는 20대 중반에 접어들자 호르몬이 정상 궤도에 올랐는지 얌전해졌다. 돌봄 탓에 커리어가 번번이 어그러진 어머니는 공장에 다니기 시작하셨다.

공장에 다닌지 햇수로 2년에 접어든 2023년 1월, 공장에 제출하기 위해 진행한 건강검진에서 암이 발견됐다. 어머니 암 걸리셨는데 집에 있는 가족이 중증장애인이라서 도움이 안 된다고, 오히려 돌봄이 필요하다고. 제발 집 근처로 발령 내달라고 울면서 빌었고, 정기 인사보다 빠르게 발령을 받아 근무도 했었고, 병가도 질병휴직도 썼다. 자살예방센터도 다니고 정신과도 다녔다. 그러나 업무환경이 바뀌어도, 전문가를 만나도. 그들이 내 인생을 뜯어 고쳐줄 수 있는 것은 아니었다. 십수년의 경험으로 숙련된 나는 1시간 만에 신데렐라는어려서부모님을잃고요샤바샤바야이샤바까지 읊을 수 있었고, 그들은 대개 "정말 건강한 사고를 가지고 계시고 능력도 있으신데 너무 힘든 환경이시네요. 힘들 때 언제든 꼭 오세요."라고 했다.

어머니의 필사적인 사회화 교육과 공직 사회 경험 3년. 나도 정상과 건강한 사고라는 걸 안다! 다만 세상에는 분명 5%의 장애인이 있지만 비장애인들의 세상에는 그들이 없고, 내 세상은 장애인이 33% 일 뿐이다! 그 차이를 인지하지 못하는 인간과의 교류에 지쳤고 진절머리가 났다. 학교나 직장의 문제가 아니었기에 억눌러왔다. 하지만 내가 좀 참는다고 상황이 좋게 나아가지 않는다는 것을 겪어버렸다. 앞으로 지속 가능한 일상을 꾸려갈 수 있을까? 오늘도 괜찮았으니 내일도 괜찮을 거라는 막연한 낙관에 젖을 수 없는데?

하여 먼저 주변을 돌아보았다. 특히 나와 같은 저연차 8, 9급 직원들의 행보와 말로 그들의 일상을 그려보았다. 요즘 9급은 사기업 경험이 있거나 대학 나오고 군대까지 다녀왔는데 하고 싶은게 없는 사람들이 많이 했다. 그런 사람들은 입사한지 2~3년 안에 결혼한다. 20대 중후반에 공무원을 선택한다는 건 안정성을 노린 것이니까. 내 나이에 또래 애들은 거의 대학에 다니니, 웬만해서는 연상을 만나게 될까? 내 후임 신혼 생활 들어보니까 조금 황당하던데. 더 구체적으로 상황을 그려본다. 나보고 밥을 하란다. 나는 "어 반찬은 너야. 너 회 쳐서 내가 먹을 거야." 라고 대꾸한다. 상상 끝. 참고로 나는 날것을 못 먹는다.

내게 식칼은 그 옛날부터 사람 잡는 도구였다. 자취할 때도 식칼은 안 썼다. 2년이 지나고서야 어머니가 너 식칼이 왜 없냐고 사주셨는데, 밤에 숨이 안 쉬어져서 죽는 줄 알았다. 친구가 감싸서 버리라고 했다. 손을 대기도 싫어서 방을 뺄 때까지 그대로 뒀다. 과도로도 1인분은 얼마든지 할 수 있는데 굳이 식칼을 써야 할까?

반면에 어머니는 식칼은 잘만 쓰면서 한낱 나무꼬치라도 그 끝이 저에게 향하면 아주 질겁을 하신다. 택배를 뜯을 때도 커터칼을 쓰지 않는다. 가위로 뜯으시거나, 내버려 두면 나나 언니가 포장을 뜯어놓는다. 나는 그 이유를 물어본 적이 없다. 트라우마란 그런 것이다. 하얗게 볼록하게 머무르는 흙을 굳이 찌르지 않고 지나가는 것. 겉으로 훑어보고 배려해도 족한 것. 건조하고 서늘하고 가끔 쓸쓸할지라도 다치지는 않는다. 극복하고 싶다면 노력하겠지. 그러기 전까지는 살아가겠지.

돌봄 대상자를 더 늘릴 수 있을 것 같지도 않고, 계속 살고 싶지도 않아서 공무원을 때려치웠다. 3년 넘게 다녔는데 미래가 전혀 그려지지 않는다면 그건 딱히 나만의 문제가 아니라 직장 문제도 조금은 있는게 맞다고 생각했다. 그리고 만기가 된 적금과 공무원 퇴직일시금을 털어 어머니께 드렸다.(공무원은 퇴직금이 없어서 연금을 일시금으로 뺐다) 죽었다면 어머니께 돌아갔을 유산과 얼추 비슷한 금액이라 아깝진 않았다. 제 때 죽지 못한 것이 아쉬울 뿐. 일을 그만두니 집안이 더 잘 보였다.

어렸을 적 읽은 책의 통통통 규칙적으로 써는 소리와 손에 배인 마늘 냄새를 마치 내가 겪은 것처럼 기억한다. 어머니의 칼질은 항상 소리가 불규칙했다. 그다지 빠르지도 않았다. 좋아하지도 잘하지도 않는 것을 붙잡으려면 당위 이상의 것이 있어야 한다. 그런데 인생 자체가 당위다. 몸을 누일 방도, 내 몸에 맞는 옷도, 눈을 뜰 기력을 얻기 위해 입에 밀어 넣는 밥도 거저가 아니다. 모두 품이 든다. 즉효성을 높일수록 돈이 들고 돈을 아끼려면 시간과 노력이 든다. 가만히 앉아 그런 것을 계산하고 있노라면 목에서 염증이 끓는다.

식칼을 들기 싫네 마네 하는 것 또한 누군가에게 식칼을 떠넘기고 있기에 가능하다. 양심이 없을 거면 아예 없을 것이지, 애매하게 가느다란 가시만큼만 있어 목에 박고 산다. 양심통이 그다지도 얄쌍하다면 적어도 끝없이 거슬려서 인지하고 살아야 하지 않겠는가.

돌봄을 자르다

밥을 크게 떠 삼켜 가시를 쓸려보내며, 그저 나는 똑똑하게 태어났으니 다행이라고, 내 공부만 열심히 해도 집에 생활비 대며 살 수 있을 테니까 그때까지 잡일 같은 건 다른 사람이 하면 된다고 미뤄버리고 살 수 있다. 환경상 선택지가 적으니 변명의 여지도 있다. 고통은 인생 전반에 걸쳐서 보면 쌃을 것이다.

그냥 나는 그렇게 살기 싫은 거다. 죽도록, 죽도록, 죽도록. 길게 말할 것도 없이 싫다. 내 인생도 가정도 한순간에 끌어올릴 능력은 없지만, 나를 확실하게 끝장낼 능력은 있지. 고통 총량 계산? 나 그거 되게 잘해. 평생 그거 두드리면서 살았어. 앞으로도 자신 있어.

그러니 나는 나에게 걸어보기로 했다. 대학에 갔다. '나'는 계속 변했다. 결코 머무르고 싶지 않은 것처럼. 나를 둘러싼 세상도 계속 변했다. 정교한 세상이 돌아가는 소리가 들린다. 그 불협화음이 고막을 긁는다.

개강 2주차인 3월 12일. 몇 년만에 걸린 감기에 언니가 드러누웠다. 목이 너무 아프단다. 몸이 너무 무겁단다. 마스크를 쓰고 손소독제를 어찌나 많이 써대는지 닫힌 방문 앞만 지나가도 시큼하고 이상한 냄새가 난다. 어머니는 매일 새벽 일찍 나가 자정에 돌아와서 피곤하니 절대 감기 옮기지 말라 하셨고, 나는 나대로 공무원 일을 때려치우고 들어간 대학에서 학업과 생활비 벌이를 병행하느라 예민했다.

편지와 함께 동봉된 통화증서가 알고 보니 집배원이 돈으로 바꿔서 배달했어야 했던 것인데, 하필 그걸 잃어버려서 거실에 머리를 싸매고 있었다. 내가 우편 일을 했으니 등기를 받았다면 알았겠지만 학교에

간 사이에 언니가 받았던 것이라 어쩔 수 없었다. 봉투가 안 뜯어진다고 편지를 찢어버리긴 했지만 괜찮았다. 미안하다고 사과하고 증서를 내 침대 위에 올려놨었는데, 도저히 우체국 갈 시간이 안 나서 미루다가 잃어버리고 만 것이다. 돈이 문제가 아니라 그 성의를 잃어버린게 너무 미안해서 슬펐다. 그런데 어머니 출근했다고 슬그머니 나와서 컴퓨터 게임을 하고 있던 언니가 나를 불렀다.

"나 손소독제 때문에 밥 못하니까 네가 좀 해."

내가 네 입에 처들어갈 밥을 왜 해야 하지? 죽으면 안 넣어도 되는데? 하필 거실 창이 컸다. 사람 하나 넘어갈 만큼. 나는 거실 창문을 열어젖히고 나가 죽으라고 머리채를 잡아끄는 대신, 방에 들어가서 문을 닫고 소리를 질렀다. 인문학과 철학은 성서와 달리 내 마음을 선명하게 바라볼 수 있게 만들었다. 나는 진심으로 언니가 죽기를 원했다. 온 힘을 다해 원해서 어머니께 저 식충이 새끼 시설에 좀 처박아놓으라고 소리칠 수 있을 정도였다. 아니면 죽겠다고 날뛸 때 말리지 말 걸 그랬다고 하거나. 대신에 캐리어를 싸서 학교에 갔다. 강의가 세 개나 있었다.

누군가를 죽이고 싶어도, 죽는 데에 실패해도 시간은 계속 흘러갔다. 가끔은 그걸 모르고 싶었다.

뒤늦게 그때를 재구성해본다. 만약에 정말로 어떻게든 밀어서 떨어트렸다고 치자. 그럼 먼저 4층에서 떨어지면 사람이 죽는지 확인한다. 내가 알기로 4층은 사람이 죽기에는 부족한 높이다. 그다음 판단을 한다. 나도 떨어질지 말지. 신이 있다면 날 데려가서 지옥 불구덩이에 던져 넣어야 마땅하고, 자신에게 함무라비 법전을 적용할지 대한민국 헌법을 적용할지 앞서 고르면 된다.

나는 그러지 않기로 했다. 그때에도, 앞으로도. 저질러놓고 눈물 흘리며 반성문을 쓴다면 감형될 일을 지금 이렇게 구구절절 늘어놓고 있지 않은가? 모르긴 몰라도 이런 글을 출판까지 해놓고 죽이면 증거가 확실하다. 심장이 끓는 불에 까맣게 타고, 나는 도피처에 불을 지른다. 고백하건대 저지른다면 전혀 후회할 것 같지가 않다! 왜, 보통 뉴스를 보면 가족에게 범죄를 저지른 남성은 그 어머니가 눈물을 찍어가며 호소하고 범죄자도 반성문을 열심히 써서 내지만, 여성은 상대적으로 덜 그렇지 않던가? 참고 참은 끝에 벌인 계획 범죄가 습관적인 우발 범죄보다 훨씬 중죄가 되지 않던가? 빨간 줄이 있는 작달만한 여자로 살아가는 것과 그리 피곤하게 살아남을 바에야 죽는 것 사이에서 고민하면 했지 "오, 언니 너무 미안해!"라고 생각할 것 같진 않다.

그러니 하든 하지 않든 본질은 달라지지 않는다. 살아있는 한 기록은 이어지니, 가능한 좋게 남겨본다.

돌봄은 현상 유지 혹은 상태의 개선을 바라며 하는 법이다.

그런데 어떤 상태가 좋은 것일까. 항상 예민하고 눈치를 보고, 피해망상이 있고, 그러나 대화의 맥락을 조금이나마 이해하고 따라가려는 노력을 하는 상태? 아니면 대화의 맥락을 전혀 알지 못하고 엉뚱한 소리를 지껄이지만, 고분고분하게 평안한 상태? 대하기 편한 상태는 물론 후자다. 하지만 이는 비대한 신생아, 프로그래밍 된 인형과 다를 바 없어 솔직히 징그럽게 느껴진다. 또한 죄책감도 느낀다. 대체 어디서 느껴야 하는 건지 모르는 채로도.

아득바득 공교육 커리큘럼에 넣고 공공 일자리를 시켜 십수 년간 쌓아온 사회성이 불과 두어달 만에 녹아버렸을 때, 어머니는 "언니는 그냥 이렇게 집안일 좀 하고 놀고 카페 가는 게 행복한 것 같아"라고 했다. 기대를 버리고, 버리고, 버린 끝에 막연히 호르몬의 집합이 긍정적으로 작용하기를 원하는 듯하다. 그리고 나에게는 내가 하고 싶은 것을 하라고 한다. 동시에 당신이 오래 일을 나가 있는 사이 내가 언니를 감독하기를 바라면서. 독립을 막아버린 채로.

잘 모르겠다. 당연하지만 세상은 내가 모르는 것이 좀 있다고 멈춰주지 않는다.

이런 과정에서, 살던 대로는 살 수 없음을 인정하기로 했다. 대체 이 '살던 대로'라고 할 만큼 살기는 했는지. 일관성 있게 산 적이 있기는 한지 의문을 가지면서도. 툭 치면 바스러질 빈약한 결론으로. 아직 어리니 언제까지나 빈약한 결심으로 살아가지는 않으리라고 막연하게 주장한다. 솔직히 믿기지는 않는다. 자기 자신조차 설득할 수 없는 말이지만, 대개 생의 이유란 설득력이 없는 것들이므로.

돌봄을 자르다

그러니 가치를 찾아

직장과 방을 얻어 홀로 독립해도 인생은 재밌어지지 않았다. 그렇다고 직장을 다니며 본가에 생활비를 내는, 평균적인 사회초년생의 삶도 돌아버릴 만큼 지루했고, 학비조로 모았던 돈을 모두 어머니의 제2의 인생을 위한 투자금으로 던지고 입학한 대학 또한 공부하는 곳이자 일하는 곳일 뿐이다. 기대는 환상에서 기인하는 법이나 살면서 환상을 주입받은 적은 그다지 없다. 스스로 만들어냈을 뿐. 밥벌이를 하면 내가 개밥버러지라는 우울한 생각에서 벗어날 수 있을 거라든가, 대학에 가면 다양한 사람들을 만나 새로운 일을 겪을 것이라든가.

공무원 생활을 하며 상황과 환경이 아니라 사람에게 정을 붙여야 살아갈 수 있다는 것을 깨달았다. 그 과도기 동안 만난 친구는 내 사람을 어떻게 존중할지를 생각하게끔 만들었다. 20살이 넘어서야 처음으로 사람을 존중하는 방법을 생각해봤다는 데에서 알 수 있겠지만, 나는 학교에서 혼자 다닌 적은 없지만 교우관계를 길게 이어본 적도 없었다. 항상 반이 달라지면, 학교가 달라지면 끝이었다. 인간관계는 만드는 것이 아니라 대처하는 것이었다. 하지만 더는 임시방편으로 살아갈 수 없게 되었다. 정신을 차리고 보니 시간이 참 많이 지났고, 어느새 3, 4년을 꾸준히 소통하며 지낸 친구들이 생겼다. 중학교를 갓 졸업한 나이였던 어린 친구들이 울면서 집을 나왔다기에 주변에 사는 대학생 친구에게 개네 밥 좀 먹여달라고 돈을 부쳤을 때가 엊그제 같건만 이제 성인이다. 먼 얘기 같던 지속적인 관계가 일상에 스몄다.

친구가 마음에 쓰이면 서울행 광역버스의 자리를 잡으며 뛰어갔고, 아무 버스나 타서 돌아다니다 한강으로 목적지를 정하고선 친구를 불러내기도 했다.

그런 시간을 거쳐 이제 친구는 남이 아니게 되었다. 참 난감할 따름이다. 너의 이웃을 네 자신과 같이 사랑하라는 말도 있지만, 대체로 나 자신이든 가족이든 '그렇게 힘들면 그냥 죽어'라고 생각하는 사람에게도 해당하는 걸까? 도덕과 윤리를 가까이 두고 생각해도 멀리 두고 생각해도. 아무래도 우리 가족은 빨리 죽는 편이 고통의 총량이 적으리라고 생각한다. 머리에 맞으면 3점, 등이나 가슴에 맞으면 2점, 팔에 맞으면 1점. 저능아더러 책 좀 읽으라고 낄낄거리던 어린 남자애들. 어디 동네에 모자란 여자애가 돌아다니다가 강간을 당했다더라, 출근하는 길에 강가 기슭에 떠밀려온 여자 시체를 봤더라는 말을 하던 늙은 시설 담당자. 타고난 봉사의 총량을 어릴 적에 쏟아붓고 남은 것을 박박 긁어모아도 언니의 귀가 인사에 꺼지라고 답하지 않은 데에 겨우 안심한다.

나나 내 가족이야 어찌되든 간에 친구들은 귀하게 대하고 싶었다. 세상에 말 통하는 사람은 드물고, 이해할 수 있는 사람은 더더욱 드물다. 심장 아프게 말해보아야 무엇하랴? 각자 살던 세상에서 살면 된다. 존중할 만한 구석을 찾아보기 어려운 사람은 금방 머릿속에서 휘발된다. 별 가치도 의미도 없는 일들을 곱씹기에는 너무나 흔하게 벌어졌다.

존중이라 함은 내 머리 위에 올려놓고 대접한다는 뜻이 아니다. 그보다는 내재화에 가깝다. 친구가 마음을 써서 조언하면 고맙다고 하는 대신 생각하는 것. 그 친구와의 관계를 돌아보고 맥락과 의도를 고려하여 조언에 대해 곰곰이 생각하고, 내 상황과 사고관에 맞춰보는 것. 그를 내 일부로 만들어야 내재화다. 기록을 보지 않으면 변화가 아니라 원래 그랬던 것처럼 느끼고 행동해야 내재화가 되었다고 할 수 있다.

나는 내가 가치를 느끼는 것으로 나를 구성하고 싶었다. 그런 생각을 가진 이후로 사람을 보는 시선이 바뀌었다. 순간순간의 논리나 합리성은 그다지 중요하지 않다. 사용하는 어휘, 말하는 태도, 동성과 이성을 대하는 태도, 연상과 연하를 대하는 태도의 차이, 입을 여는 화제와 반대로 입을 다무는 화제 등을 느낌에 따라 확인하게 되었다. 그러면 그 사람의 방향을 가늠할 수 있고, 우선하는 가치를 짐작할 수 있었다. 스물 넘어 몇 사귄 친구들이 내게 여유를 준 덕이다. 항상 바뀌는 자리와 상황마다 혼자 동떨어질까 깊게 걱정할 필요가 없다. 그냥 안 맞는 자리에 있을 뿐이니까. 남들의 비위를 덜 맞추게 되면서 입도 함께 풀렸다. 생각을 덜 거치고 말하는 만큼 더 나를 드러내게 되었다. 그렇다면 가치의 기준을 스스로 알 필요가 있다. 사람이 언제까지나 변할 수는 없기 때문이다.

특정 순간부터 인간은 물리적으로 낡는다. 정신은 반드시 육체에 좌우되고, 하루라도 더 건강할 때 정신을 두들겨 헛짓거리를 방지하는 편이 좋다. 나는 집구석에 있다가는 언니가 잠들자마자 칼로 찔러버릴 것 같아서 주변 PC방에서 밤을 새운 적이 있다. 몸이 병들면 몸과 정신이 변두리에 머물러 고이고 썩지만 정신만 병들면 충동이 곧 행동으로 이어진다. 99번을 참아내도 1번 끌려가면 사건은 벌어진다. 나는 그 한 번으로 내 인내를, 인생 전체를 폄하 당하지 않기 위해 살고 있다. 내 인생을 완전히 파괴할 여러 가지 충동은 항상 있었고 가끔은 끌려갔다. 실패하면 울었다.

어느 날에는 우스워서 그런 얘기를 했다. 인생 돌아가는 꼴이 너무 따버리는 바람에 일어나지를 못하는 도박 초짜 같다고. 그것도 원코인으로. 아주 폭삭 망하기라도 하면 주저앉기라도 해보겠는데 잘 되니까 달린다고. 내 인생을 판돈으로 올리는 것만큼 재밌는 일이 없다고. 서로 할 말 못 할 말 제법 많이 한 사이지만, 관계가 지속되면서 못 할 말이 늘어나고 있는 친구였다. 노인들이 연금으로 도박하는 이유가 이해된다는 얘기를 하다 말이 샜었고, 조금 미안해져서 입을 다물었다. 나는 요즘 해외에 가고 싶다는 얘기를 자주 했었다. 인생 전반이 담금질이었으므로, 야생성이나 적응력을 증명하고 싶은 것일지도 모른다. 부딪히다 보면 언젠가 박살이 나겠지. 이왕이면 산산조각이 나서 흩어지기를 바란다. 그걸 뻔히 아는 친구여서 미안한 마음이 들었다.

그랬더니, 아니, 다른 날이었던가? 그 친구가 몇 번이나 권하기를, 경영학과에 간 김에 재무 과목을 잘 들어보라고 했다. 이왕 도박할 거면 기업 돈으로 도박하라고. 어느 기업으로 돈놀이하고 성과금 빼먹는 건 재무쟁이들이고, 폭삭 망하면 잘리는 건 말단 직원들이라고. 나는 웃었다.

돌봄은 돌고 돌아버리는 너를 보는 걸까, 아니면 계절 돌아 올 봄을 믿는 걸까?

박소영

사탕 증후군

01

그 애는 사탕 증후군으로 보였지만, 나는 심보가 고약해서 말해주지 않기로 했다.

그저 그의 상황을 관찰하며 나의 지난날을 떠올릴 생각이었다.

초콜릿이나 아이스크림처럼 완전히 녹아내리지 않기 때문에 붙인 병명이었다. 온도보다는 습도가 문제였다. 날씨가 습한 날에는 몸이 녹아 끈적하게 찐득거렸다.

온몸에 먼지를 묻혀 다니지 않기 위해 구석구석 파우더를 바르고 나섰다.

부끄러워지는 것이 싫다. 얼굴이 붉어지고 마음이 두근거리기 시작하면 그새 녹기 시작한다. 이내 사탕 냄새가 났다.

마음을 통제하는 연습을 한다. 나에게 크게 어려운 일은 아니다. 원래 조용한 아이라서 나 자신을 속이는 것은 어려워도 남을 속이는 일은 쉬웠다.

저 애는 그렇지 않을 것이다. 그는 외향적인 사람이다. 마음이 표가 나곤 했다. 감정에 솔직하고, 밝고, 세상의 많은 것들을 사랑했다. 그러니 아주 곤혹스러울 것이다.

무언가 표현하고 싶어질 때마다 사탕이 되어버릴 테니까.

아주 꼴좋지 뭐야.

02

그가 사탕 증후군인걸 알아챘을 때에는 빌어먹을 짝사랑이 시작됐고 끝이 났다.

재수 없는 애라고만 생각했는데 이 마음이 애정이었다는 걸 인정해야만 했다. 내가 그의 앞에 설 때와 그가 그 여자애 옆에 있을 때는 같은 향이 났다. 그러니 인정하는 수밖에 없다. 어쩌면 내 오해이지 않을까 하는 합리화를 할 수 없다. 정말 재수가 없다.

그는 수학 학원의 이단아 같은 존재였다. 조용한 우리 교실에서 유일하게 말이 많았다. 선생님에게도, 애들한테도 계속 말을 걸어댔다.

연기 동아리를 하고 있던 그는 연기 연습을 하느라 수업에 늦게 들어오곤 했다.

각자의 삶을 책임지느라 바쁜 우리 반 애들은 그가 언제 들어오건 관심조차 없었지만 뒷 문 바로 옆에 앉는 나는 그럴 수 없었다. 그가 언제 벌컥 문을 열고 들어올지 몰랐고, 수시로 놀랄 준비를 했다.

그때부터 그 애가 재수 없었다. 그는 늘 큰 소리를 내며 문을 열었다. 그럴 때마다 나는 매번 떨어질 것 같은 심장을 눌러야 했다.

03

추운 날씨는 싫다. 나는 따뜻함이 좋다. 그렇다고 녹아내리는 날씨에서 살아갈 순 없다.

호주에 가야겠다. 사시사철 건조하면 어느 정도 살만할 것이다.

호주에는 중학교 2학년 때 첫 해외여행으로 가족들과 다녀온 적 있었다. 외국 생활에 큰 환상이 있는 것은 아니지만 버석버석했던 그 나라에서 나는 이방인이 될 수 있을 것이다. 내가 조금 이상하더라도 그러려니 하지 않을까. 어쩌면 녹아내리는 나를 봐도 한국인은 그런가 보다 생각할지도 모르지.

호주에 가서 수학자가 될 거다.

수학자로서 원대한 목표가 있지는 않다. 지금까지 내게 주어진 환경 중에서 수학 학원에 있을 때 마음이 가장 평온하기 때문이다. 꽤 쾌적한 실내에서 아무 말 없이 있을 수 있다. 사춘기 애들이 표출해 내는 감정들에 동화되어 녹아내릴 일이 없는 것이다. 수학에는 명확한 답이 있다는 점도 마음에 든다. 숫자에만 집중하다 보면 골치 아픈 하루가 금세 지나갔다. 어른들이 귀찮게 하지 않는 점도 좋다. 열심히 수학 문제를 풀어내는 고등학생에게 잔소리를 하는 어른은 없었다.

04

아침에 눈을 뜨니 비 냄새가 났다.

창문 틈새로 나무껍질 냄새가 코 끝에 스쳐오면서 동시에 은은한 사탕 냄새가 웅웅거렸다.

피곤한 하루가 되겠군.

웃기게도 나는 비가 오는 날을 좋아했다. 그것도 퍼붓는 것을 좋아했다. 비가 오는 날은 나를 눅눅하고 찐득하게 만들었지만 빗줄기는 나를 감추어주기도 했다. 세차게 쏟아붓는 빗줄기 때문에 언뜻 보면 세상이 하얗게 보였다. 선이 모여 면이 되는구먼. 실없는 생각을 하며 몸을 일으켰다.

물웅덩이를 밟지 않기 위해 조심하며 걸음을 뗐다. 아무도 모르겠지만 나는 독극물이 쏟아지고 있는 상황에 우산 하나에 의존하여 등교를 하고 있는 것이다. 내가 이 우산을 조금만 치우면 이 세상에서 영영 사라질지도 모르는 일이었다. 그 사실은 나를 묘하게 들뜨게 만들었다. 사라지기를 바라는 건지, 존재함에 기쁨을 느끼는 건지 모르겠다. 완전히 사라질 수 있다는 사실을 온 감각으로 직면함에 자유를 느꼈다.

05

비가 오는 날은 쌀쌀함을 무기 삼아 분홍색 후드 집업을 입고 나선다. 튕겨지는 빗방울을 막기 위해서는 외투가 필요했다. 분홍색이어야 한다. 외투는 밝으면 밝은 대로, 어두우면 어두운 대로 사탕 자국이 남았다.

그리고 오늘 아침 내 외투를 잃었다. 잃었다기보단 망쳤다. 지나치는 버스 때문에 더러운 빗물이 다 튀었기 때문이다. 늘 상상해오던 상황이었다. 그간 아슬아슬한 상황들도 자주 있었다. 내 소중한 외투가 다 젖는다면? 그래서 외투를 벗어야만 한다면? 아프다고 조퇴를 해야겠군. 이런 날을 대비해 여러 시나리오가 준비되어 있었다.

하복을 입었다면 시나리오를 시행해야 했겠지만 아쉽게도 아직은 긴 셔츠를 입고 있었다. 혹시라도 셔츠에 빗물이 스며들지 않게 외투를 벗어들고 교문으로 들어섰다.

젖은 외투를 의자 뒤에 걸고 수업이 시작됐지만 온 신경은 목덜미로 쏠려있었다.

습기를 머금은 찬 바람이 얇은 셔츠를 지나쳐 목덜미로 기어들어왔다. 내 목덜미가 녹아서 분홍색이 된 채로 보이고 있는 건 아닐까?

결국 잔뜩 젖은 외투를 다시 집어 어깨에 걸쳤다. 아무리 찝찝해도 학교에 분홍 인간으로 소문나는 것보단 나을 것 같다.

쉬는 시간이 되면 재빨리 화장실로 가서 급한 대로 제일 더러운 부분을 맑은 물로 닦고 드라이기로 말려야겠다. 나 같은 인간은 늘 소형 드라이기를 들고 다닌다. 사람들은 고데기를 가지고 다니면 되지 왜 드라이기를 가지고 다니냐고 물어봤다. 그럴 때면 더 자연스럽게 머리를 할 수 있는 비법이라며 주변 친구들 머리까지 만져주곤 했다. 도저히 솔직하게 말할 순 없지 않은가. 그렇다고 그냥이라고 말하기도 이상했다. 삶이 이렇게 피곤하다. 그럴듯한 거짓말만 늘어갔다.

06

쉬는 시간 동안 물먹은 외투를 다 말릴 순 없었다.

축 늘어진 곰인형 같은 후드를 들고 나도 축 늘어진 채로 교실로 돌아가고 있었다.

누군가 내 왼쪽 어깨를 잡아돌렸다. 습기를 먹어 눅눅해진 살결에 온기가 닿자 찐득한 감각이 곤두섰다.

[안녕? 혹시 괜찮다면 그 옷 잠깐 빌려줄 수 있을까? 우리가 지금 분홍색 소품이 잠깐 필요해서.. 너 입어야 하니까 대신에 내 옷 빌려줄게!]

그 애다. 수학 재수 없는 애. 문을 큰 소리로 열어 재끼던 그 애답게 오늘도 불쑥 나를 잡아 돌렸다. 당황한 채로 생각이 정리되기도 전에 주섬주섬 자기 후드 집업을 벗어 내 어깨에 걸쳐두고는 나를 빤히 바라보고 있었다. 그러니까 이런 식이다. 재수가 없는 사람은 다채로운 방식으로 재수가 없다. 애매모호한 내 표정에 싱긋 웃는 표정으로 답하며 살포시 내 품에 있던 내 옷을 안고 사라졌다.

내 몸만 한 회색 후드를 어깨에 두르고 완전히 입지도 못한 채 고민하고 있었다. 이렇게 밝은 회색에는 사탕 자국이 남을지도 몰랐다. 입지 말고 의자에 걸쳐둘까. 그러기엔 너무 추운데. 그냥 입고 세탁해서 주면 되려나? 그전에 찾으러 오면? 그러면 몰래 숨어있다가 재빨리 도망가야겠다.

목 끝까지 지퍼를 잠그자 이불 속에 들어온 기분이 들었다. 포근하다.

눈이 스르륵 감겨오기 시작했다.

07

나는 우디한 향을 좋아한다. 나에게서 나는 사탕 냄새를 적당히 감추기에 좋았다. 살결에서 나는 단 냄새 때문에 향수에 대한 질문을 종종 받곤 했다. 나는 달달한 향을 그다지 좋아하진 않는다. 원래 당연하게 가지고 있는 것들은 다 별로로 느껴지는 걸까?

서늘한 날씨 덕인지 다행히도 얼룩은 지지 않았다. 다만 사탕향이 좀 배여있을 뿐이었다. 세탁기를 돌리고 향수를 뿌렸다.

저녁에 학원에 가서 돌려줘야지. 내 옷은 언제 받을 수 있으려나?

그는 학원에 오지 않았다.

기껏 무거운 옷을 한 아름 들고 왔는데. 괜히 일만 두 번 하게 생겼네. 그 사이에 비나 내리지 않았으면 좋겠다.

학원에서 집까지 가는 길은 멀기도 하고 가깝기도 했다. 버스를 타면 세 정거장을 가야 했고, 걸어서는 지름길로 이십분 정도 걸렸다. 버스를 기다리는 시간을 고려하면 걸어가는 게 더 빠를 때도 있었다. 지름길은 상가 골목을 여기저기 가로질러 가는 길이었는데, 걸음을 붙잡는 가게들이 많았다. 예쁜 가게들이 계속해서 생겨났다. 커피와 빵 냄새가 골목마다 이어졌다. 자습을 하고 간다고 거짓말 치고 가게에 앉아 멍 때리는 날들도 종종 있었다. 그중에서도 내가 제일 좋아하는 가게에서는 크림 브륄레를 팔았다. 차가운 커스터드 크림 위에 설탕을 뿌린 후 표면을 굳힌 디저트다. 충분히 달지만 배부르지 않은 점이 마음에 들었다. 나무로 된 인테리어 덕에 앉아 있으면 나무 향이 났다.

오늘은 크림 브륄레를 먹어야겠다.

젊은 사장님은 나를 알아보는 눈치지만 우리는 서로 아는 체를 하진 않는다. 항상 서로에게 상냥할 뿐이다. 크림 브륄레와 차가운 아메리카노를 시키고 잠시 엎드려 있는데 익숙한 목소리가 들려왔다.

그 애였다. 옆에는 내 후드를 빌릴 때 함께 서있던 여자애가 같이 있었다.

다행히 나를 발견하진 못한 듯했다. 벽에 붙어서 고개만 살짝 내밀고 그들을 훔쳐보기 시작했다. 내가 꼭 숨어야 하나? 그렇다고 벌떡 일어서서 아는체하고 싶진 않다. 가게에서 익숙한 냄새가 진동을 하기 시작했다. 내가 녹을 때 나는 냄새였다. 이 냄새가 왜 나는 거지?

분명 나에게서 나는 냄새는 아니다. 다시 한번 고개를 들어 보니 그가 녹고 있었다.

익숙한 냄새와 익숙한 표정이다. 보통 사람들은 사람이 녹아내릴 수 있다는 상상을 결코 하지 못하기 때문에 그가 녹아내리고 있다는 것을 모를 것이다. 나는 알 수 있다. 그의 목덜미가 빛을 받아 분홍빛을 내고 있었다. 긴장하고 있는 것이 분명했다.

그는 녹기 시작해 영 불편해 보였다.

옷이 몸에 쩍쩍 들러붙고, 신경 써서 바른 왁스가 녹아내리고 있다.

그러게 왜 어울리지도 않는 셔츠를 입고 머리를 세웠을까. 헐렁한 후드티에 늘 쓰는 캡 모자가 가장 잘 어울린다는 걸 모르는가 싶다. 지금 이 순간 이런 생각이 떠오르는 내가 싫다. 그의 거지 같은 미적 감각과 제법 귀여운 모습이 동시에 떠오르다니.

혹시나 주문을 하고 이쪽으로 올까 싶었지만, 다행히 그들은 음료를 가지고 매장을 나갔다.

어느새 얼음이 다 녹아 있었다.

사탕 증후군

08

집에 돌아오니 공포의 목욕 시간이 기다리고 있었다.

나는 다른 사람보다 씻는 데 두 배 이상의 시간을 쏟아야 한다. 일과를 마치고 집에 돌아오면 온몸이 끈적해져 있었다. 아침에 바른 파우더는 먼지와 한 데 엉겨서 회색빛에 가까운 더러운 분홍빛을 냈다.

파우더를 쏟아붓듯이 몸에 바른다. 드라이기로 바싹 말린다. 쩍쩍 갈라지는 것 같은 느낌이 들면 거친 붓으로 파우더를 털어낸다. 까칠한 수염이 몸을 훑는 느낌이 든다. 발굴되고 있는 화석 같은 기분도 든다. 그러고 나면 찬물로 재빨리 헹구어 내야 했다. 사탕은 수용성이라 어쩔 수 없이 매일 조금씩 녹아 없어졌다. 다행히 아프진 않았다. 단지 미끌거리는 상태로 온몸이 분홍색이 될 뿐이다. 제 살색으로 돌아올 때까지 한 시간 정도의 시간이 더 필요했다.

09

학교가 끝나고 집에 가려는데 그가 온몸이 끈적해져서 온갖 먼지는 다 묻힌 채 꼬질꼬질한 행색으로 쭈뼛거리며 내 앞에 섰다.

대화에 준비 시간이랄 게 필요한 건 아니지만 같은 세상에 존재할 수 없는 인물이 눈앞에 서 있는 거 마냥 긴장되기 시작했다. 혹시라도 몸이 녹아내릴까 싶어서 속으로 딴생각을 하기 시도했다. 내일까지 제출해야 할 숙제와 앞으로 어떤 인간이 되어서 뭘 해 먹고살지 같은 거창한 생각을 펼치느라 그의 목소리는 점차 희미하게 사라졌다.

[너도 나랑 비슷한 거 같아서.]

그의 웅얼거리는 목소리가 잡념 사이로 꽂혀 들어왔다.

[너도 녹아내리는 걸 봤어.]

서로 눈이 마주치는 순간에 수만 가지 생각이 스쳤다. 그냥 미친놈 아 니냐고 해버릴까. 맞다고 인정하면 그다음에는? 내가 무언가 도움을 주어 야 하나. 혹시 지켜보고 있던걸 들켰을까. 어쩐지 호의를 베풀고 싶진 않은데 거짓말을 해야 하나. 그러다 들키면? 나를 싫어하려나. 근데 나 를 싫어하지는 않았으면 좋겠어. 그러면 어떡하지? 계속 대화를 하고 싶진 않은데. 영영 멀리 있는 존재였으면 하는데. 이미 글러먹었나. 여러 생각을 다 제치고는 엉뚱한 소리가 입 밖으로 튀어나왔다.

근데?

근데라니. 근데라니.

서로 얼굴이 벌게진 채로 몇 초간 아무 말 없는 시간이 흘렀다.

10

그 애는 영화 찍는 것을 도와 달라고 했다.

우리 학교에서는 매년 영화제가 열린다. 졸업한 선배들도 참여하는 꽤 큰 규모의 행사다.

자기가 참여하게 된 작품의 주연을 맡았다고 했다. 첫 촬영에서 몸이 끈적하게 녹아내리는 탓에 당황스러웠다고 한다. 표정도 대사도 엉망이 되어버려서 아프다고 도망치듯 촬영을 미뤘다고 했다.

두근거리면 증상이 심해지는 것 같다고, 감정을 내뱉어야 하는데 어 떻게 해야 할지 모르겠다고 했다. 연극이 아니고 촬영이니까 나와 미리

사탕 증후군

연습을 하고 가면 표가 덜 나지 않을까 생각한다고 말했다.

[우리 이모도 호주에 살아.]

무표정하게 듣고 있는 나를 보며 속사포로 말을 내뱉기 시작했다.

[열람실에 붙어 있는 사진들 봤어. 일부러 보려던 건 아니고... 익숙한 풍경들이라 눈에 들어와서... 호주를 좋아하는 것 같던데, 여름 방학에 가려고 사 둔 내 비행기표 너 줄게. 이모한테 말씀드려서 먹여주고 재워 줄게.]

괜찮은 제안이었다. 고등학생이 어디서 비행기표를 구하겠는가. 그래서 도와주기로 마음먹었다. 호주에 가려고.

11

파우더를 바르기 시작한 건 열네살 때부터다.

베이비파우더와 화장품 파우더를 적절히 섞어서 사용했다. 유분기가 없는 파운데이션을 얇게 바르고 그 위에 덧발랐다. 베이비파우더는 부드럽고 보송보송했지만 단독으로 사용하기에는 지속력이 짧았다. 화장품 파우더를 섞어서 수시로 덧바르면 조금씩 녹아내리는 것쯤은 감출 수 있었다. 살짝 녹아서 분홍빛이 돌면 예뻐 보이기까지 했다. 사람들은 혈색이 복숭아 빛이 돈다며 칭찬하기도 했다. 물론 그럴 때마다 실제 내 속은 어지러움 그 자체였다.

처음 파우더를 바르고 방을 나왔을 때 엄마는 기뻐했다. 중학생이 무슨 화장을 하나 싶을 법도 했을 텐데 그녀는 세상에 아름다운 모든 것들을 사랑했다. 나는 그런 것들에 별 관심이 없었다. 그런 아이가 무슨 이유로 화장을 시작했는지에 대한 궁금증보다 아름다움에 대한 기쁨이 더 컸다.

그녀는 나보다 늘 밝고 사랑스럽고 순수했다. 그래서 아직까지 내 증후군을 비밀로 하고 있다. 나에 대한 비밀을 알고 나면 하게 될 걱정과 소란이 더 피곤했기 때문이다. 물론 나는 엄마를 아주 많이 사랑한다. 사랑하는 것과 피곤함을 느끼는 건 별개다.

내 파우더는 이 애한테 맞지 않았다. 새카맣게 생겼기 때문이다.
마치 밀가루를 뒤집어쓴 고구마 같았다. 그런 생각이 들자 웃음이 났다.

[왜 웃어?]
[밀가루를 뒤집어 쓴 고구마 같아서.]

솔직하게 말이 나왔다. 이상했다. 나를 정말 긴장하게 했지만 때때로 가장 솔직하게 만들었다. 그래도 될 것 같은 편안함이 있었다.

[내가 좀 까맣긴 해. 좋겠다 너는 새하얘서.]

별 의미 없는 말인 걸 알면서도 내심 기분이 좋았다. 수없이 들었던 말이기도 하고 하얗다는 말이 예쁘다는 것도, 좋아한다는 말도 아닌데. 내 귀에는 네가 하얘서 예뻐서 그래서 좋다로 들리는 것이었다. 뭐 어차피 혼자만의 상상인데 이러면 어떻고 저러면 어떤가. 짝사랑의 장점이기도 했다. 무엇이든 곡해해서 들어도 아무런 문제가 없었다.

　　　　　　　사탕 증후군

12

영화는 한 과학자가 나무와 말하는 법을 연구하는 내용이었다.

주인공은 어릴 때부터 나무의 말을 알아들었다. 그렇지만 나무들은 본인의 말을 알아듣지 못했다. 자신의 말을 전하고 싶어서 한 평생을 연구에 바친 남자의 이야기였다.

총 3부작으로 주인공의 청년 시절, 1부작에 해당하는 영화다.

그 애의 설명에 의하면 이건 캠코더로 찍는 원테이크 영화다. 촬영을 했어야 했지만 미뤄졌기 때문에 이번 주 일요일에 촬영을 한다고 했다. 나와의 연습은 토요일. 동선에 맞추어 리허설을 한다. 나는 사탕 인간으로서 리허설을 하면서 생기는 돌발 상황에 대한 조언을 해주면 됐다.

[네가 도와줄 건 간단해. 아무 말 없이 캠코더로 날 찍어주면 돼. 잘 못 찍어도 돼. 동선만 확인하면 되니까. 중간에 내가 녹아내리거나 당황해도 멈추지 말고 계속 찍어줘. 현장에서 생길 일들에 마음 준비를 하기 위해서니까. 다 찍고 나서 이런 상황엔 어떻게 하면 좋을지 같은 것들은 한 번에 조언해 줘. 동선은 미리 알려줄게. 그리고 증후군에 대해서 궁금한 것들은 생각날 때마다 물어봐도 되지?]

동선은 간단했다. 학교 후문 뒤 느티나무 아래에서 독백을 찍고, 아파트 단지를 따라가며 중얼거리는 거 찍고, 주인공 방에서 중얼거리는 거 찍으면 끝이었다. 등장인물도 한 명이 다였다.

[촬영 콘셉트에 맞춰서 방도 다 꾸며놨거든? 어차피 주말에 집에 아무도 없어서 신경 안 써도 돼. 아니 아무도 없다는 게 더 불편하려나. 현관문 열어놓을게. 혹시 불편할까 봐.. 너 편한 대로.. 아니면 그 장면은

그냥 문 앞에서 찍어도 돼 나 그렇게 이상한 학생은 아닌데 너 입장에서는 불편할 수 있으니까.]

동선을 상상하고 있는데 장황하게 말을 이어갔다. 멀뚱히 서서 듣다가 속으로 웃음이 났다.

[생각을 해봤는데 이거 조금 멋진 거 같아.]

나는 오늘 매우 피곤했다. 며칠 사이에 벌어진 온갖 종류의 일들이 나를 지치게 했다. 평소에 정해진 만큼의 일정과 감정을 소모하는 나에겐 일 년 치의 힘을 다 쏟아낸 기분이었다. 그래서인지 그의 입에서 나온 '멋지다'라는 긍정적인 단어는 나에게 이질적으로 다가옴과 동시에 묘한 피로감을 주었다.
정말이지 지치고 기운 없는 목소리로 물었다.

[뭐가?]
[사탕 증후군 말이야. 네가 지어낸 병명이지만 이름도 마음에 들고. 우리 같은 사람 또 없을걸? 특별하지 않냐? 영화 주인공 같은 거 할 필요가 뭐가 있냐. 인생이 영화보다 특이한데.]

장난스러운 표정으로 웃고 있었다. 나도 웃음이 났다.
진짜 철이 없네. 라는 생각이 들면서 계속 웃음이 났다.

철이 없는 건 어쩌면 내가 아닐까?

13

학교 뒷문을 나와서 인도를 따라 십여 분 정도 걸어가면 나오는 마을이 있다. 마을이라는 표현이 맞나 싶지만 동네라고 부르기엔 거긴 고유한 세상으로 느껴졌다.

그 마을은 줄지어 선 아파트 사이로 공원처럼 홀로 초록빛을 내뿜고 있었다. 아마 모르는 사람들이 여길 처음 온다면 계획된 공원으로 여길지도 모른다. 얼핏 보면 요즘 유행하는 자연 친화적 도시 경관처럼 보였다. 초록 들판에 오래되고 큰 느티나무가 우두커니 서있다.

얼마나 오래됐다더라 300년인가 500년인가. 보호수로 지정된 나무는 뻔하게 생긴 아름다운 나무였다. 모두가 이 나무를 좋아했다. 도심 속에 몇백 년 된 나무니까. 어른들은 어른들대로 좋아했고, 아이들과 부모들은 교육적인 목적으로 좋아했으며, 예술가들은 온갖 의미를 부여하며 좋아했다. 좋아서 좋아하는 것일까? 나도 이 나무를 좋아한다.

나의 이유는 화려한 꽃이 피지 않아서였다. 나는 꽃을 좋아하지 않는다. 달콤한 향을 풍기다가 져버릴 때는 볼품없는 것이 꼭 나를 보는 것 같아서다. 꽃은 늘 아름답고 가장 지저분했다.

이 영화는 그 느티나무 아래에서 시작한다.

그는 녹화를 시작하기 전, 한 번의 대사 연습을 요청했다.

그가 나무 옆에 기대어 앉아 독백을 시작한다.

나는 네가 우리 동네에서 가장 진실한 나무라는 걸 알아. 너는 모르겠지만 난 어릴 때부터 수많은 나무의 이야기들을 들어왔거든. 그리고 너는 그중에서도 말이 가장 많지. 동네 고양이에게도, 지나가는 새한테도, 그리고 나한테도 자주 말을 걸었어. 너는 내 말은 못 알아듣고 있지만. 그러니까 우리는 비슷한 거지. 서로 소통이 안되면서 계속 말을 걸고 있으니까 말이야.

대각선으로 들어오는 햇살이 그의 콧날 위에 외곽선을 그리고 있었다.
처음 보는 모습이었다. 진실로 고독해 보였다.
연습이 끝나고 정지 버튼을 누른 다음 물어보았다.

[원래도 식물에 관심이 많았어?]
[아니? 난 식물은 잘 몰라. 움직이는 것들을 더 좋아해. 그건 왜 물어봐? 왜. 내 연기가 끝내줬나 보지?]

눈을 마주치지 않기 위해 괜히 발끝으로 호를 그리며 말했다.

[아니 그냥. 어쩌다 이 영화 주인공을 하게 됐는지 궁금해서.]
[주인공? 주인공이야 잘생기면 그만이지.]

경멸하는 내 눈빛에 고개를 젖히며 호탕하게 웃어댔다.

[글쎄. 내가 딱 어울린다고 생각했다던데.]

이 영화의 극본가이자 연출가인 그 여자애.
둘은 잘 어울렸다. 똑똑하고 재능 있는 연출가와 감정이 풍부하고 활달한 연기자. 나는 영화 같은 건 잘 몰랐지만 그 여자애가 만든 작품들이 여러 대회에서 수상했다는 사실은 얼핏 들어 알고 있었다. 뭐, 충분히 긴장되고 녹아내릴만하지.
그 여자애는 비범하기 때문에 내가 보지 못한 모습을 발견한 걸까?

사탕 증후군

[아무래도 몇 번 같이 작업을 해서 편할 테니까.]

그가 내 생각을 자르고 말했다. 거짓말이다. 둘이 사랑 같은 거라도 하는가 보지. 그런 생각이 들자 집에 가고 싶어졌다.

[연습은 끝났어. 이제 찍어보자.]

14

[절대로 멈추면 안돼.]

그는 멈추지 말고 계속해서 찍어달라고 신신당부를 했다. 자기가 죽는 것만 아니면 있는 그대로 담아 달라고.

[알았다니까 -]

느티나무 아래에서 아까와 같은 독백을 시작했다.

나무와 한참 대화를 나누던 그는 일어나 도시로 걸어나가기 시작했다. 캠코더를 처음 잡은 나로서는 화면이 덜 흔들리도록 하는데 온 신경을 다 쓰고 있었다.

영화는 별 대사가 없다. 그가 집으로 돌아가는 길을 그대로 담으면 됐다. 그는 암갈색의 담벼락을 따라 걸어가면서 종종 우두커니 서서 하늘을 바라보곤 했다. 오늘따라 바짝 타고 있는 태양 때문에 목덜미가 끈적이며 반짝 빛났다. 그도 분명히 느껴졌을 터였다. 우리는 약속대로 멈추지 않고, 물어보지 않고, 서로 할 일을 했다.

상가가 늘어선 골목 사이로 우뚝 선 아파트 단지가 보이기 시작했다. 그는 잠시 멈추어 서서 골목 사이 그늘에 잠시 몸을 기댔다. 아무 표정 없는 얼굴 위로 눈물이 뚝 하고 떨어졌다.

당황스러웠다. 그는 지금 주인공의 마음으로 우는 것일까? 본인의 감정으로 우는 것일까. 그가 녹고 있다는 사실을 알고 있었기에 그의 눈물로 보였다. 전신을 찍던 카메라를 당겨야 할까, 내가 더 가까이 가야 할까 고민하던 찰나에 그가 몸을 돌려 다시 걸어가기 시작했다.

아파트 단지에 들어서자 하늘이 그새 주황색으로 변하고 있었다. 4월은 그런 달이지.

단지 사이를 지나 현관으로 들어가는 길목에는 의미를 알 수 없는 추상적인 조형물이 하나 있고, 놀이터도 있었다. 놀이터를 이루는 곡선과 직선이 캠코더 화면의 각진 프레임 사이에 들어왔다. 별 의미가 없는 그것들은 화면에 들어옴으로써 의미를 만들어냈다.

엘리베이터를 누르고 기다리는 동안 현실적인 고민에 빠졌다. 문이 열리면 거울에 내가 비칠 텐데 어떻게 하지? 연습이니까 상관없으려나, 하지만 완벽하게 하고 싶어. 생각이 채 정리가 되기도 전에 문이 열렸고, 재빨리 각도를 꺾어 그의 운동화를 찍었다.

좋은 순발력이었어. 스스로 안도하며 고개를 들자 그가 날 내려다보고 있었다. 웃음을 꾹 참고서. 서로 소리 없이 웃는 탓에 들고 있던 캠코더가 흔들렸다. 그 때문에 그의 신발 옆으로 내 신발까지 담겼다.

그의 집은 열쇠를 썼다. 왜 도어록을 사용하지 않는 것일지 궁금했다. 이 캠코더 안에 담기는 분위기에는 더할 나위 없이 어울렸다. 나도 모르게 카메라로 열쇠 구멍을 비추었다.

문을 열자 온 어둠이 쏟아졌다. 불을 켜지 않은 채로 곧바로 방 문을 열자 다시 빛이 쏟아졌다. 방에 있는 커다란 창문에 노을이 걸쳐져 방 안이 빛으로 가득 찼다.

　　　　　사탕 증후군

조금 미친 과학자라는 콘셉트와 달리 방은 깔끔했다. 나무로 된 책상과 의자, 노트북, 작은 침대가 전부였다. 무엇을 꾸며놨다는 거지?

방에 불을 켜지도 않은 채로 책상에 앉아 노트북을 열었다.

노트북 안에는 온갖 나무들의 사진이 가득했다. 고요함 속에 마우스 소리만 딸깍거렸다. 방 안에 가득한 빛 때문인지, 방금 밖에서 들어온 탓인지 방안은 사탕 냄새로 가득 찼다.

이제 마지막 독백만 끝내면 될 터였다. 그는 여전히 노트북에서 하염없이 나무 사진을 들여다보고 있었다. 진짜 나무에 미친 과학자 같았다. 그때 살짝 열린 문틈 사이로 검은색 솜뭉치 같은 것이 날아 들어왔다. 캠코더 화면에 집중한 탓에 그것이 내 귀에 가까이 왔을 때에서야 정체를 알았다. 벌이 날아들어 온 것이다.

우리는 그 상태로 굳어버렸다. 절대 멈추지 말기로 한 약속 때문인지, 공포심 때문인 건지.

나는 재빨리 머리를 굴려야 했다. 다년간 벌레들에게 시달림을 당해 본 내 경험에 의하면 저들은 쉽게 포기하지 않는다. 당황할수록 향은 진하게 풍겨질 터였다. 벌은 진한 사탕 냄새 때문인지 흥분 상태로 온 방을 휘젓고 있었다.

지금 저 벌을 죽일 수 있는 방법이 있나? 아무리 눈알을 굴려봐도 이 단조로운 방에는 마땅한 무기가 없다.

그때 그가 대사를 치기로 마음먹었는지 입을 떼기 시작했고, 벌은 그의 얼굴을 향해 날아가고 있었다. 나는 캠코더를 내팽개치고 베개로 그의 얼굴 전체를 눌러버렸고, 그는 참아왔던 비명을 내지르기 시작했다. 갈 길을 잃은 벌은 그 길로 내 손등으로 돌진했고 나도 동시에 비명을 질러댔다.

벌은 날 쏘지 못했다. 이미 녹아서 끈적해진 손등에 들러붙어 윙윙거리며 발버둥 치고 있었다. 끔찍한 광경이었다. 비명과 함께 울기 시작했다. 여전히 베개에 파묻혀 소리를 지르던 그는 내가 울기 시작하자 비명을 멈추고 나를 번쩍 들어 올렸다. 덕분에 손에서 힘이 빠져 베개를 놔 버렸고 드디어 앞이 보이기 시작한 그는 커다래진 눈으로 이 상황을 마주했다.

나를 들어 올린 채로 침대에 앉혀두고선 내 가방에서 파우더를 꺼내 왔다. 그리고 부었다. 이내 고요해졌다.

엉망진창이었다. 베개에 눌려있던 그도, 눈물 범벅이 된 나도 얼룩덜룩하고 꼬질꼬질해진 상태였다. 그는 방을 나가서 냉장고에서 아이스크림을 꺼내왔다.

우리는 아무 말 없이 아이스크림을 먹기 시작했다. 다 먹고 나자 파우더를 내 가방에 넣고 가방을 챙겨서 들었다. 잠시 내 얼굴을 빤히 보더니 휴지를 들고 와서 눈물 자국을 닦았다. 휴지가 들러붙는 느낌이 났다. 이래서 나는 손수건만 쓰는데. 잠깐 당황한 기색을 보이더니, 그나 나나 모르는 척을 했다. 분명 휴지가 얼굴에 들러붙어 웃긴 꼴일 터였다.

[이제 가자.]

내 가방을 들고선 나를 일으켜 세웠다.

우리는 이웃이었다. 조금만 더 안쪽으로 들어가면 내가 사는 동이 나왔다. 그는 현관 앞에 서서 머쓱해하며 가방을 건넸다.

[너 덕에 내일 촬영 잘 할 수 있을거 같아. 고마워. 푹 쉬어.]

무슨 도움이 되었다는 거지? 엉망진창이었지만 우리는 오늘 너무나 피곤했다.

집에 들어서자마자 씻는 것도 잊은 채 깊은 잠에 빠졌다.

사탕 증후군

15

주말이 지나고 월요일이 왔다.

주말 내내 잠이 들어있었지만, 핸드폰을 켜고 나서도 그에게서 온 연락은 없었다. 이상할 것 없었다. 우린 연락처가 없었으니까. 내가 정말 정신머리가 없구나.

제대로 씻지도 않아서 볼에 뽀루지까지 났다. 정말이지 학교에 가기 싫다. 평소에 나라면 이 정도 기분이라면 어떻게든 학교를 안 갈지도 몰랐다. 그렇지만 그걸 연기해 낼 기운조차 없었다. 그렇게 잤는데도. 계속 기운이 없었다. 나는 왜 기운이 없는 것일까?

현관을 나서는데 익숙한 후드 집업이 눈에 들어왔다.

그가 내 옷을 입고 서있었다. 작은 분홍색 후드 집업을 입고 있는 꼴이 꽤나 웃겼다. 토끼옷을 입은 살찐 고구마 같았다. 갑자기 막 웃음이 났다.

웃고 있는 나한테 그가 뜬금없는 소리를 했다.

[생각을 해봤는데 너는 좀 말린 복숭아 같아.]
[너는 뭘 맨날 생각을 해봐? 그냥 복숭아도 아니고 왜 말린 복숭아인데?]
[조금 건조해...]

싸늘한 내 표정 뒤로 뒤이어 말했다.

[근데 당도는 더 높잖아.]

나를 놀리는 것에 신이라도 났는지 흥미로운 눈빛으로 말했다. 역시 재수가 없다. 실 없는 소리를 잘도 했다.

우리는 학교를 향해 걸어갔다. 그는 여전히 내 옷을 입고 있었고, 나도 벗으라는 말을 하지 않았다. 올려다보니 그의 오른쪽 뺨에도 뾰루지가 나 있었다. 내 왼쪽 뺨과 데칼코마니 같았다.

저 상태로 찍었을까? 궁금했지만 물어보지 않기로 했다. 영화가 나오면 확인해 봐야지.

[너 크림 브륄레 좋아해?]

그가 갑자기 크림 브륄레 이야기를 했다. 그날 가게에서 날 본 걸까? 그저 디저트 이야기를 한 것뿐인데 심장이 떨어지는 기분이었다.

[내가 이번 주말부터 리리에서 일하기로 했거든. 아침부터 점심시간까지. 너 오면 내가 크림 브륄레 줄게. 거기 그거 맛있어.]

그 가게다. 정말 날 보았을까? 그의 표정에는 그런 기색은 없다.

[갑자기 알바를 왜 해?]
[사실 내가 인터넷으로 도박 빚을 좀 졌어. 다른 사람들한테는 비밀이야.]

그가 뜬금없는 소리를 했다. 어쩌면 그는 미친 새끼일지도 모른다. 내가 친구를 잘못 사귄 걸까? 정신이 없는 와중에 그가 미친 듯이 웃기 시작했다.

[야 농담이야. 너 진짜 웃기다. 놀러 올 거지?]

사탕 증후군

내가 뭘 했다고 웃기다는 거지? 이해할 순 없지만 알았다고 고개를 끄덕였다.

금세 교문이 보이기 시작했다.

엔 꼬

너의 영혼이
즐거웠다면
그걸로 되었다

휴지의 사색

눈물에 흠뻑 젖어
조글조글한 꼴이 되어버린 날
너의 감정이 해소됐다면 그걸로 되었다

마카펜에 둘러싸여
유니크한 아트로 거듭나던 날
너의 영혼이 즐거웠다면 그걸로 되었다

본디
이것저것 오묘한 것들을
묻히고 다니는 삶인데
이참에 예술가인 척하며
살아볼까 봐?

'의미'라는 녀석이
들러붙을지도 모르잖아.

쉼

아픈티를 안내고
어울리려고 했던 노력들

차가운 얼음 입김을 가리려
이내 지었던 머쓱한 미소들

마구 엉켜있는 속과 달리
담담하게 지켜낸 침묵들

검푸른 환영에서 벗어나
정적 속 은은한 꽃향기를 맡노라니

스스로 창조해낸 머릿속 아트의
부질없음을 깨닫고

오감으로 만나는 자연물에 매료된 채
그저 한참을 머물렀다.

쉼이었다.

무제, 2024

세상을 인지하고 있지만
세상에 속한 적이 없는 스크린 밖의 존재

파도의 흐름에 운명을 떠맡긴 채
허름한 쪽배를 타고
홀로 망망대해를 거니는
탐험가의 이야기랄까

고요한 바다의 수평선 위로 펼쳐진
보랏빛 황혼의 낭만을 타고
오늘도 비바람의 흔적들로 물들여진
눅눅한 감정들을 하나둘씩 수집해본다

과연-
저 어두운 은하수 밤하늘의
반짝반짝 빛나는 별들은
뒤늦게라도 자신이
신의 파편임을
알아챘을까?

너의 영혼이 즐거웠다면 그걸로 되었다

거울(人)의 반전

닮아서 좋았던 걸까?
달라서 끌렸던 걸까?

정말이지?
가끔은 너무 헷갈려
너와의 만남인지
자아와의 만남인지

아리송한 내 머릿속은
하염없이 물음표만 잉태하지.

너는 참 알다가도 모르겠다.

요요

줄었다가 늘어나는 것을 반복하는 것은
체중계의 수치마냥 변덕스러운
내 안의 흑백이었지.

너의 영혼이 즐거웠다면 그걸로 되었다

보다

무(無)보다 더 투명한가
색(色)보다 더 화려한가
기(氣)보다 더 무형한가

보다만 바라보다 차차 쪼그라드느니
차라리 보다를 감상하며 고루 펴지련다.

게으른 창작자의 변명

너무잘하려고하다가
결국아무것도못했다

백지멍이라도할까나
멘탈정화가시급하니

너의 영혼이 즐거웠다면 그걸로 되었다

중독

원하든 원하지 않든
알게 모르게
차츰차츰
내 안에 스며드는 것들이 있다.

자신을 늘 의식해야 하는 이유
모 아니면 도니까.

0

머릿속 엉킨 실타래들
어쩌면 한순간에 사라질지도

생존앞에선.

너의 영혼이 즐거웠다면 그걸로 되었다

캘린더

앞으로 잘 가다가
가끔 뒤도 돌아보았지.
몇 초 사이의 기적
몇백 년이 손터치로
가볍게 오르고 내렸지.

흔적

나와 나를 연결하는 것은
시간이 아니라
기록이었지.

순수

알면서저지른다면죄악이겠지
알지만여전히순수를따른다면
무적일테니.

∞

청춘은원수무제한
청춘응원수무제한

너의 영혼이 즐거웠다면 그걸로 되었다

아무글

때로는
깊이는 없지만
넓게 뛰어다닐 수 있는
자유가
좋다.

반의 미

더하지도 덜하지도
반(半)이 가져다주는 여운이 더 깊음을.

너의 영혼이 즐거웠다면 그걸로 되었다

벼의 지혜

익은 벼 이삭의 고개 숙임에 대하여

–

그저 영양 축적의 무게감인 줄
사실 평준화의 이치를 미리 깨달았을 뿐.

꾼

감성으로 촘촘히 짜진 까슬한 직물이라
깊숙이 스며들기 꽤 어려운 구석이 있어

뾰족함이 일상이고 예민함이 특기라
흠(집착)에게 틈(여유)을 빼앗겼지 뭐야

쉬이 녹슬지 않는 감성껍데기를 꾸준히 장착한 채
지성이란 쁘띠한 알맹이도 은밀하게 품어 버렸지

음습한 그림자가 짙게 고여 진득해질 때마다
무심한 듯 휙- 던져 묽게 만드는 용도로 쓴달까?

너의 영혼이 즐거웠다면 그걸로 되었다

핵

"난 어디까지나
긍정적인 에너지 흐름의 존재여부를
가장 중요한 삶의 기준으로 삼는 것에
꾸준히 집중할 것이다"

#어려움속의즐거움
#부족함속의만족감

담향·淡香

은은하게 향긋해서
가까이하면 기분 좋고
적당해서 부담스럽지도 않은.

허영심에 젖은
짙음의 유행을 지르밟고
분수에 맞는 독특한 옅음으로
뜬 자리마저도
싱그러운 잔향이 남아있는.

너의 영혼이 즐거웠다면 그걸로 되었다

End.

–

더하지도 덜하지도 않은 상태를 '유지'하는 것
그것은 고도의 집중력이 필요한 일.
정체된 형태로 나타나 푸른 이끼가 낀 고인 물로 취급받을지라도
핵에서 흘러나오는 보이지 않는 질서와 규칙을 기반으로
그것은 매 순간 끊임없이 세차게 끓어오르고 있다는 사실.
고요하게, 조용하게, 쉿– 때로는 아무도 모르게.

–

흡사 얇디얇은 종잇장처럼 쉬이 찢기고 구겨지는
아슬아슬한 껍데기 위 일지라도
광활한 대지 위에 숨 쉬고 있는 이 모든 것들은
그 고유한 아름다움을 간직한 채
적당한 질서를 껴안고 '존중'이라는 거리를 유지하며
함께 공존해 나가기도.
이 얼마나 인간으로서 할 수 있는 가장 고차원적인 행위인가!

–

수직의 프레임에 갇혀 알딸딸한 한계에 취해
메말라가고 죽어가는 삶이 아니라
드넓고 광활한 세상을 인지하고
아름다운 자아를 알아가기도 부족한 시간 속에서
마음의 자유에 집중하며 인격적으로 성장해 나가는
가장 '평범한' 한 인간이 될 수 있기를.
그것이 이곳으로 '여행' 온 '나'라는 주체를
사랑하는 방식이길 바라면서…

End.

.

특 집

워킹맘의 성장일기

1. 시작하면서

　20년 전 나는, 지금의 내가 워킹맘일 거라고는 전혀 상상하지 못했다. 설마 이렇게까지 오래 회사에 다닐 줄이야! 나는 사람들과 만나 놀기를 좋아했기에 삶을 조금 더 즐기며 살아갈 거라 막연히 생각했다. 하지만 난 아직 워킹맘이다. 얼마 전 큰 아이가 대학을 입학하고 회사에서 자녀학자금을 지원받았다. 회사에 오래 살아남는 사람들이나 받던 자녀학자금을 받는 날이 나에게도 오리라고는 정말 생각하지 못했는데! 늘 조만간 회사를 떠날 거라고 외치고 다녔던 나를 기억하는 친구들이 지금도 가끔 놀린다. 놀림 받아 마땅하고 변명의 여지가 없다. 그 흔한 육아 휴직 한번 쉬어 본 적 없이 20년을 워킹맘으로 살고 있으니 말이다.

　그러면 난 어떤 마음으로 회사를 다녔을까. 자아실현을 위한 회사 생활? 그런 고상함으로 포장하고 싶지는 않다. 누구보다 워라벨을 잘 지키며 지금까지 왔다. 물론 타고난 성실함으로 내가 받는 월급만큼의 성과는 낸다는 자세로 회사 생활을 해왔지만, 워커홀릭이라는 단어와는 거리가 멀다. 그런 나의 삶의 우선순위는 단연코 아이들이다. 두 아이를 잘 키우는 일에 누구보다 관심을 두고 최선을 다했다. 혹여 아이들의 학교생활에 적신호가 켜지면 당장에라도 회사를 그만두고 두 아이의 엄마로 전념하겠다고 다짐해 왔는데, 그 다짐이 무색하리만큼 아무 탈 없이 두 아이 모두 훌쩍 커버렸다. 그 흔한 사춘기도 무탈하게 넘어가면서 말이다. 내가 이렇게 오래 워킹맘으로 살아갈 수 있는 건 너무 반듯하게 잘 자라준 두 아이 덕분이다.

회사에서 교육담당자 업무를 맡고 있는 나는 종종 나를 소개해야 하는 자리가 있는데 그때마다 나를 '타인의 성장을 돕는 일'을 하는 사람이라고 소개한다. 이렇게 소개하면서 내가 워킹맘이라는 사실과 함께 자녀도 엄연히 말하자면 타인이기에 아주 찰떡인 자기소개라는 말도 꼭 덧붙인다. 그렇다 자녀도 타인이다. 더 솔직히 말하면 나 자신보다 더 사랑하는 타인이라는 것. 대부분 부모는 자신보다 더 사랑하는 자녀가 잘되기를 바라는 마음으로, 표현하는 방법이 다를 뿐 각자의 방식으로 자녀를 넘치게 사랑한다.

나도 어느 날 부모가 되었고, 아이를 향한 나의 사랑은 실로 놀라웠다. 내 목숨보다 더 소중한 사람이 세상에 있다는 것이 경이로울 정도였다. 나도 나만의 방식으로 아이를 넘치게 사랑했다. 하지만 갈등은 바로 넘치는 사랑에서 시작되었다. 그리고 알게 되었다. 서로가 행복하기 위해 건강한 거리가 필요하다는 것을. 지금의 난 여느 집보다 조금은 더 평화롭고 행복한 일상을 보내고 있다. 나는 분명 지극히 평범하고 부족함이 많은 사람이었는데, **돌아보니 나는 아이들과 함께 성장하고 있었다.** 내 품에 있던 아이가 스스로 두 발을 딛고 한 사람의 성인으로 성장하는 것을 가까이서 지켜보는 일이 이렇게 벅차게 행복한 일이라는 걸 깨달은 부모로서의 성장 경험은 너무나 소중하다. 부모로서의 나만의 해답을 찾아가는 여정을 기록으로 남기고 싶은 마음에 이 글을 시작한다.

2. 사춘기란 무엇인가

-갈등의 시작을 알리는 시기! 아이의 사춘기를 어떻게 맞이해야 할까?

    우연한 사건을 통해 깨달음을 얻은 적이 있다. 나의 초등 시절 일기장에서 너무 웃긴 내용을 발견한 것이다. 초등학교 4학년 때 쓴 일기에 이렇게 쓰여 있었다.

    "나는 이제 어른들과 똑같이 생각할 수 있게 되었다. 어른들의 이야기가 100% 이해된다, 근데 한심한 이야기도 엄청 많다. 정말로 황당한 건 어른들이 날 어린아이 취급한다는 사실이다. 어이없다."

    대학생 때 이걸 읽으면서 순간의 '아하 체험'을 잊을 수가 없다. 일기를 쓰던 그때가 바로 나의 사춘기의 시작이었던 것이다. 우리 아이에게도 사춘기가 시작되고 있었다. 애교 많은 아이의 눈빛과 말투가 달라지는 시기. 아이는 어리지만 독립적 자아를 가지고 있고 나를 닮지 않은 모습을 보며 이해하는데 어려움을 느끼기도 했다. 이맘때 읽은 책에는 사춘기에 대해서 이렇게 정의되어 있었다. 어른이 보기에는 아직 어린 아이인데, 아이는 본인이 어른처럼 다 컸다고 착각하는 그런 시기라고. 사춘기 자녀와의 갈등은 아마도 자녀를 어린아이로 취급하는 부모와 어른이라고 착각하는 아이들의 시선 차이에서 생기는 듯했다. 그렇다고 질풍노도의 시기를 보내고 있는 자녀에게 네가 착각하고 있지만 너는 아직 어린아이라고 이야기해봐야 어릴 적 나처럼 어이없어하지 않을까.

그럼 어떻게 하면 좋을까? 마냥 시간이 지나기를 꾹 참고 기다려야 하나 사춘기를 향해가는 아들을 보면서 고민한 결과 내가 내린 결론은 '어른이라고 생각하고 있다니, 어른처럼 존중해주자!'였다. 물론 내 눈에 한없이 어리기만 한 아이를 어른으로 대해주기가 쉽지만은 않았다. 솔직하게 얘기하자면, 연기하는 것에 더 가까웠다. 그런데 연기는 하면 할수록 리얼리티 실력이 늘어갔고, 실제 해보니 생각보다 크게 어렵지 않고 오히려 재미있기도 했다. 신기하게도 어른대접을 해주니 어설프지만 정말 어른처럼 행동하는 것이 아닌가. 엄마가 무섭다고 말하는 동생에게 자신만의 노하우를 설명해주고 있는 한껏 의젓함을 뽐내는 큰 아이를 보고 있자 하니 웃음이 나왔다.

그렇게 아들의 사춘기가 시작되는 초등 5~6학년 정도부터 노력한 나의 연기실력이 절정에 다다를 무렵 중2가 된 아들이 어느 날 이렇게 말하는 것이었다.

"엄마! 생각해 보니, 내가 작년에 너무 철이 없었던 거 있지? 그때는 왜 그렇게 어렸나 몰라. 지금은 아니야! 완전 다 컸어."

말해주지 않아도 스스로 깨닫는 시기가 온다. 물론 맨 마지막 멘트처럼 작년엔 아니었고, 올해는 진짜 어른이 된 것 마냥 또 착각하지만, 내가 구구절절 설명하지 않아도 자연스럽게 깨닫게 되니 얼마나 다행인가! 그렇게 1년, 2년 후 내가 애써 말해주지 않아도 작년에도 진짜 어른이 아니었다는 것을 깨달은 듯하다. 그렇게 아이는 스스로 느끼면서 진짜 어른으로 성장해 가고 있었다.

어른과 똑같은 생각을 하고 있다는 나름대로 자각을 하는 시기는 아이마다 다르다. 몸이 크는 속도가 다르듯 마음의 성장 속도도 다르기 때문이다. 첫째 아들은 산타할아버지가 없다는 사실을 알아차렸을 때부터인 것으로 기억한다. 산타할아버지가 없다는 걸 어떻게 알았는지 물었더니 아이의 대답은 꽤 야무졌다. 아무리 생각해봐도 세상의 이치상 어렵다는 걸 깨달았다는 것이다. 마술을 부리지 않는 한 산타할아버지가 전 세계 어린이들에게 방범 장치가 잘 되어 있는 아파트의 집집마다 선물을 놓고 간다는 건 불가능하다는 것을.

사람에 따라 사춘기가 찾아오는 시기는 차이가 있지만 분명한 사실은 누구에게나 이런 시기가 있다는 것이다. **세상의 이치를 깨달아가면서 내가 어른이라고 착각한 시기를 거쳐 진짜 어른으로 성장하는 시기.** 그리고 그 시기를 어떻게 지내면서 어른이 되느냐에 따라 성숙도가 결정된다고 믿는다. 사춘기 자녀를 둔 엄마들끼리 모여 우리 아이를 옆집 아이라고 생각하면 마음이 편하다고 서로 위로하곤 한다. 그건 바로 옆집 아이에게는 함부로 할 수 없고 존중을 해주기 때문 아닐까.

솔직히 나는 지금도 세상의 이치를 깨달아가고 있다. 어쩌면 사춘기는 계속되고 있는 게 아닐까? 우리 아이들이 세상의 이치를 처음으로 깨닫기 시작하는 그 시기를 맞이할 때 축하하는 마음으로 존중해 준다면 아이가 내 나이 어른이 되었을 때 더 긍정적인 마음으로 세상의 이치를 깨우치고 있지 않을까. 조금 더 행복한 어른이 되어 있을 거라는 작은 기대도 함께해본다.

3. 판단 내려놓기

**-내 머리속에서 자동으로 돌아가는 필터.
눈에 보이지 않는 이 필터에 대한 세팅이 우선이다.**

아이를 키우면서 가장 힘든 일은 '판단'을 내려놓는 일이었다. 살아온 날이 더해질수록 나만의 '타인을 향한 시선의 틀'이 생겼다. 직업 특성상 사람의 변화를 유심히 관찰해야 하는 터라 관심을 두고 변화를 관찰하다 보면 타인을 판단하는 나만의 시선이 정해진다. 다 알지 못하면서 다 아는 것 같은, 착각이라는 걸 알면서도 이 놀라운 나의 틀은 아무 때나 튀어나왔다. 아이에 대한 시선은 더욱 그러했다. 누구보다 많은 시간을 함께하고 옆에서 사랑과 관심으로 지켜본 엄마로서의 나는 아이의 행동에 대한 판단이 누구보다 빨랐다. 비단 나만의 문제는 아니었던 것 같다.

어느 날 만난 친구가 한껏 흥분된 어조로 이야기를 시작했다. 고등학생 딸이 어느 날 사전에 말도 없이 한쪽 귀에 피어싱을 7개를 하고 집에 들어왔다는 것이다. 친구는 황당한 표정으로 사춘기 짓도 정도껏 해야지 정말 기가 탁 막힌다며 흥분했다. 충혈된 친구의 눈을 보니 놀란 정도를 가늠할 수 있었고, 같은 부모로서 속상한 마음도 이해되었다. **근데, 아이는 왜 그랬을까?** 순간 궁금해서 친구에게 물어보니 잠시의 고민도 없이 본인에 대한 반항이라고 했다. 정말 친구의 말이 맞았을 수도 있다. 그런데 다른 이유가 있지는 않을까 잠시 궁금해하다 깨달았다. 나도 우리 아이의 행동에 대해서는 궁금해하지 않는다는 것을. 내가 낳은 자녀이기에 속속들이 모든 걸 알고 있다고 생각했고 아이에게 화를 낼 때에는 어김없이 나의 놀라운 판단에 의한 것이었다. 우리 아이에 대해서 만큼은 유난히 호기심이 부족하고, 또 수많은 경험으로 이 아이가 왜 이런 행동을 했는지 어렵지 않게 결론 내릴 수 있는 놀라운 능력이 있는 것 같았다.

어른이 되면서 없어지는 것 중 하나를 꼽자면 아마도 '호기심'일 것이다. 어른이 될수록 경험이 쌓이고 본인만의 수많은 경험들이 쌓이면, 호기심은 점점 없어진다. 그게 철이 드는 것이기도 하고, 효율적으로 살아가는 방법을 터득한 것이기도 할 것이다. 매사 호기심을 가지면 그 얼마나 피곤한 일인가. 타인을 보는 사고의 흐름에서 제일 먼저 'Why'의 단계가 진행된다. 어떤 사건을 어떻게 해석할 것인지를 결정하는 단계로, 가치관이 투영되어 있기 때문에 사람마다 큰 차이를 보인다. 하지만 이 단계는 살면서 수많은 사건을 통해 자신만의 프레임이 정해지고 나면 쉽게 변하지 않는 특징이 있다. 그 이후의 사건들이 발생했을 때 이 첫 번째 단계인 Why 단계에 걸리는 시간은 점점 줄어든다. 뇌는 효율성을 높이는 방향으로 진화해 가기 때문이다.

나는 아이를 바라보는 시선에서 의식적으로 Why 단계에 오래 머물러 보기로 했다. 빠르게 나의 판단을 내리기 전에 '정말 왜 그랬을까?'라는 진지한 물음을 해보는 것이다. 곰곰이 생각하는 시간은 섣부른 결론을 내리지 않게 하는 제동장치가 되어주리라 기대하면서. 순한 아들의 행동 중에서도 몇 가지 날 화나게 하는 행동들이 있었다. 아들이라서 그냥 털털하려니 생각해도 이해되지 않는 것 중에 아들은 스스로 옷을 골라서 입는 걸 어려워했다. 아침마다 무슨 옷을 입어야 하는지 묻는 건

기본이고 외출복과 집에서 편하게 입는 옷도 구분하지 못했다. 샤워하고 나온 아들의 옷을 챙겨두지 않으면 외출복을 입고 잠을 자는 일도 있을 정도였으니 말이다. 그때마다 어디가 부족한가 정말 생각이 없나 하는 생각이 들어 화부터 나는 것이었다.

이 사건을 두고 왜 그럴까를 의식적으로 생각해보니 여러 가지 이유가 떠올랐다. 일단 외할머니 손에 자란 아들은 어려서부터 늘 세심한 보살핌을 받고 자랐다. 아침에는 학교에 입고 갈 옷과 양말까지 챙겨서 소파에 놓여있고, 샤워하고 나오면 갈아입을 옷이 항상 가지런하게 놓여 있었다. 스스로 생각해서 옷을 골라 입는 경험이 상대적으로 부족했던 것이다. 또한, 아직 외모에 관심이 없을 때라 패션에도 무심했고, 옷장 정리는 늘 내가 해주고 있었기에 무슨 옷이 어디에 있는지도 알기 어려웠을 거라는 결론에 도달했다. 평소에 깊게 생각해보지 못한 이유를 세 가지나 발견할 수 있었다. 그렇다면 어떻게 하면 개선할 수 있을지도 구체적인 방법이 자연스럽게 이어졌다. 옷장 정리를 함께하고, 스스로 옷을 골라 입을 수 있는 의도적인 기회를 주면서 아들의 행동은 빠르게 개선되었다. 물론 딸아이만큼의 능력은 절대 생기지 않았다. 하지만 타고난 성향을 고려하면 충분히 이해되는 수준까지 도달했다. 그리고 더 중요한 성과는 이유를 구체적으로 알게 되니 단순히 생각 없는 행동이라는 나의 섣부른 판단에서 나오는 화나는 감정이 수그러들었다.

모든 일에 Why를 생각할 수는 없다는 것을 알고 있다. 흔히 말하는 '진지충'이 되어버리거나 심하게 피곤해질 것이 분명하다. 유독 특정한 행동에 화가 나거나 혹은 반복적으로 일어나고 있어 개선이 필요하다고 생각한 일에 의식적으로 연습을 해보았다. 왜 그럴까? 아주 잠시라도 시간을 내어 이유를 생각해보면 다양한 이유가 생각나기도 하고, 그래도 이유를 찾기 어려울 경우 솔직하게 물어보는 것도 좋은 방법이다. 의외로 질문을 통해 답을 빨리 얻을 때도 있었다. 물론 따지듯 캐묻지 말아야겠지만.

머릿속에서 일어나는 사고도 엔트로피의 법칙을 따르는 것 같다. 자연스럽게 드는 생각은 어쩌면 혼란의 방향이 아닐까. 이 자연의 흐름을 멈추거나 반대 방향으로 에너지를 쓰는 일이기에 조금은 부자연스럽고 노력이 필요한 것은 확실하다. 외부의 사건과 나의 감정 사이에 '선택'이라는 GAP이 있다고 하지 않던가! 어떤 사건 때문에 나의 감정은 어쩔 수 없는 것이 아니라 나의 감정은 내가 선택할 수 있다. 그러니 상대의 행동 때문에 내가 화가 났다는 말은 틀렸다. 그 GAP에서 판단을 내려놓고 호기심을 갖고 충분히 생각한 후에 내 감정을 선택해도 늦지 않다.

4. 코치형 부모되기

-부모에게도 리더십이 필요하다.
부모로서 꼭 필요한 커뮤니케이션 스킬 I message !

날 아내라고 부르는 사람과 함께한 이후 엄마라고 하는 아이가 둘이 생겼지만, 여전히 막내딸을 찾는 기존 식구들이 있고, 그보다 더 많은 식구가 새로이 생겨났다. 매일 출근해서 사무실에서 만나는 사람들까지 그들은 모두 나에게 무언가를 기대한다. 필연적으로 피곤했다. 비단 나만의 이야기는 아니지만 그렇다고 그 사실이 피곤함을 덜어주진 못했다. 피곤한 하루의 끝에 만나는 아이들과의 시간이 가장 기다려지는 시간이면서도 체력이 방전된 시간이라 말은 제멋대로 흘러나왔다. 학교 준비물을 챙겨주고 숙제는 했는지 살피다 보면 나도 모르게 '너는 왜~'라는 말이 튀어나왔다. 이렇듯 아이를 잘 키우는 싶은 본연의 마음과는 달리 입에서는 잔소리하는 나를 발견했다. 물론 아이를 위한 마음이었다. 잔소리하는 그 순간 나의 짜증 섞인 마음이 조금 있었다고 해도 멀리 보면 아이가 잘되기를 바라는 마음으로 궁극적으로 더 나은 삶을 살기를 바라는 마음에서 나오는 이야기라는 것에는 의심의 여지가 없다.

어느 날 아이와 함께 놀이터를 지나다가, 놀이터 그네에서 놀다가 다친 아이를 부모가 다그치는 장면을 목격했다. 그네에서 떨어져 얼굴 한쪽이 심하게 긁혀서 피가 나는 아이를 붙잡고 부모가 엉덩이를 때리면서 "그러니까 엄마가 나가 놀지 말라고 했지? 엄마 말을 안 들으니까 이렇게 다치는 거 아니야? 잘못했어 안 했어?" 주변을 의식하지 않고 부모의 잔소리와 핀잔은 이어졌고, 다친 아이는 더 큰소리로 울기 시작했다. 그때 옆에서 딸아이가 물었다.

"엄마, 저 아줌마는 다쳐서 아픈 아들을 왜 엉덩이까지 때리면서 혼내는 거야?"
"다친 아이 얼굴을 보니까 너무 속상해서 그러는 거야"

나는 대답을 하면서도 참 앞뒤가 안 맞는 이상한 답변이라는 생각이 들었다. 속상하면 속상하다고 말을 해야지 왜 혼을 내는 걸까? 이 글을 보면서 이해가 되지 않는 부모는 아마 없을 것이다. 다친 자녀를 보는 순간 속상한 마음에 걱정했던 마음까지 더해져 혼내게 되는 부모의 모습은 너무 흔히 볼 수 있는 일이고 한편 너무 이해되니 말이다. 나도 아이에게 속상한 마음을 가끔 거친 말로 표현하면서도 전혀 죄책감을 느끼지 않았다. 그 이유는 나의 훈계나 잔소리는 자녀를 위한 일이라는 '선한 의도'가 든든하게 뒷받침되고 있기 때문이다. 아마도 위에서 본 부모도 같은 마음이었으리라. 자녀가 잘못되기를 바라는 부모는 없다. 지나친 사랑과 자녀를 위하는 마음이라는 선한 의도는 너무도 큰 힘을 발휘해서 그 내용을 전달하는 방법 따위에 잘잘못을 따지지 않게 될 뿐이다. 의도가 선할 때 사람은 기본적으로 자신의 행동에 타당성을 얻게 되기 때문이다. 상대를 위한 일이라면 방법이 조금 도덕적이지 않다고 해도 용기가 생긴다. 어떻게 말해도 그 의도가 선하기 때문이라는 자기 합리화가 시작되고, 상대가 언젠가는 이해해 줄 것이라는 자신감마저 생긴다. 하지만 그 상대가 아이라면 그 선한 의도를 파악하기까지 상당히 많은 시간이 필요할 수 있다.

회사에서 기획하는 많은 교육 중 '리더십 교육'이 참으로 재미있었다. 리더십이란 무엇인가? 흔히 쓰이는 단어일수록 나만의 정의를 명확하게 해두면 좋다. 내가 생각하는 리더십의 정의는 이렇다 '타인으로 하여금 잠재된 역량을 이끌어낼 수 있도록 선한 영향력을 주는 일'. 내가 아닌 타인에게 영향력을 미치려면 기본적으로 사람을 이해해야 한다. 사람의 마음을 움직이는 일이기 때문이다. 누구보다 아이의 마음을 움직이고 싶었던 나는 리더십 교육을 들으며 부모에게도 필요하다는 생각이 들었다. 리더십 교육 중 코칭 프로그램을 도입하면서 프로그램을 더 알차게 기획하기 위한 명목으로 나도 한국코치협회 인증코치인 KAC자격증을 취득했다. 첫날 배운 코칭의 철학은 이렇다.

1. 모든 사람은 무한한 가능성을 가지고 있다.
2. 그 사람에게 필요한 해답은 그 사람 내부에 있다.
3. 해답을 찾기 위해서는 파트너가 필요하다.

아이는 무한한 가능성을 가지고 있고, 스스로 답을 가지고 있다니! 그걸 찾기 위한 파트너로서의 부모의 역할을 해내면 되는 거구나. 참으로 멋진 철학이 아닐 수 없었다. 파트너는 앞에서 재촉하지 않는다. 마주 보고 대치하지 않는다. 같은 방향을 바라보고 곁에서 함께 나아가는 것이 파트너일 것이다. 코칭 과정의 커리큘럼은 사람을 이해하기 위한 심리학 기반으로 구성되어 있어 흥미로웠고, 인간관계를 잘 유지하기 위한 경청, 공감, 피드백 스킬 등 알차게 구성되어 있었다. 한 번쯤 들어봤을 법한 어쩌면 흔하고 일반적인 내용이지만, 구체적인 실천은 참으로 어려웠다. 그중에서 내 삶에 가장 큰 변화를 가져온 코칭대화 스킬을 하나만 소개하자면 I Message (나 전달법) 이다.

** I Message (나 전달법) : '나'를 주어로 하여 자기 생각과 감정을 솔직하게 표현하는 의사소통 방식으로 아래와 같이 3가지 내용을 순서대로 이야기한다.

1. 구체적인 행동이나 사실
2. 내 느낌과 감정
3. 나 또는 우리에게 느끼는 영향/기대

I Message는 사실을 기반으로 나 중심적으로 이야기하기 때문에 마음을 움직이는 힘이 있다. 코칭 대화를 처음 배운 날, 집 와서 아이에게 적용해 보았다.

적용예시)

엄마는~ (일단 주어는 무조건 '나'이다)

네가 핸드폰을 2시간째 하고 있는 걸 보니까 (사실)

좀 걱정되는 마음이 들어. (감정)

너가 오늘 계획한 일들을 제대로 하지 못하게 될 것 같아서 말이야 (영향)

핸드폰 하는 시간을 좀 정해두고 하면 어떨까? (기대)

물론 너무도 교과서 같은 표현이라 이렇게 그대로 말하기는 쉽지 않을 것이다. 어디까지나 나 전달법을 설명하기 위한 예시이니 이해 바란다. 여기서 핵심은 주어가 '나'라는 것이다. 너로 시작하지 않고 '엄마는~'이라고만 시작해도 일단 나 대화법은 반 이상 성공이다. 말하는 방법을 조금 달리했을 뿐인데 기대 이상의 효과가 있었다. 무엇보다 말하는 내가 나의 감정을 알아차리게 된다는 것과 그 감정을 솔직하게 표현하게 되는 효과가 있었다. 또 다른 효과는 네가 주어가 아니기에 상대를 비난하는 표현을 하기가 어려운 구조이다. 이렇게 나의 감정을 먼저 표현하기에 매우 솔직한 대화법이고 상대방은 나의 감정에 공감하면서 대화를 시작할 수 있다.

앞에서 말한 나의 선한 의도를 솔직하게 표현하는 방법으로 I Message는 좋은 방법이다. 처음에는 교과서를 읽는 것처럼 너무 어색했다. 덜렁거리다가 반찬 그릇을 깨뜨려 당황하는 아이에게 너는 왜 그렇게 덜렁거리는지 나무라지 않고, 일단은 아이가 다친 곳은 없는지 물어보고 앞으로 같은 실수가 반복되지 않도록 I Message로 엄마가 널 걱정하고 있다는 감정을 말해주고, 앞으로 어떻게 조심하면 좋을지 이야기하기까지는 여러 번의 시행착오와 많은 시간이 필요했다. 그래도 하

워킹맘의 성장일기

면 할수록 '이 방법이 맞구나' 하는 확신이 든다. 인간이기에 순간 조금 화난 마음이 드는 것도 사실이고 나 또한 노력해도 모든 순간 그렇게 하지 못한다. 화나는 감정이 앞서 화를 낼 때도 있지만 이내 I Message를 하지 못했다는 사실을 인식하고 사과할 수 있는 대화법의 기준이 되어주었다.

나의 마음속 깊은 곳에 있는 나의 선한 의도인 아이를 걱정하는 마음과 다치지 않고 건강하게 성장할 수 있도록 솔직하게 당부하는 일은 나에겐 용기가 필요한 행동이었다. 그런데 신기하게도 이렇게 말을 하는 순간 화난 감정이 금세 수그러들곤 했다. **내가 말한 말이 다시 내 귀로 들리면서 내 감정을 알아차리고 다스려지는 이 경험은 값진 경험이다.** 말의 힘이기도 하다. 그러고 나면 아이도 자신의 감정을 솔직하게 말해주곤 했다. 본인도 당황했고, 앞으로는 어떻게 조심해야겠다고 수줍게 말하는 모습은 참으로 귀엽고 대견했다. 아이들이 어른보다 훨씬 더 솔직하게 잘 표현하는 걸 보면 역시 순수함이 있다! 나는 아이가 자신의 감정을 잘 알아차리고 솔직하게 표현할 수 있는 마음이 건강한 사람으로 이 세상을 살아갈 수 있기를 진심으로 바란다.

5. 모든 사람의 능력의 합은 100이라는 믿음

-대한민국 학군 지에서 학부모로 살아가기 위한 최소한의 믿음

　솔직히 나는 내 아이가 공부를 잘할 거라는 이상하고도 막연한 기대가 있었음을 고백한다. 어쩌면 강렬한 바람이었을지도 모르겠다. 하지만 근거 없는 착각에도 내 아이가 공부를 못할 수도 있다고, 그럼에도 나는 아이와 좋은 관계를 유지할 수 있다는 근자감 (근거 없는 자신감)이 있었다. 하지만 아이가 학교에 입학하면서부터 성적으로 경쟁의 대열에 서게 되고 아무리 노력해도 아이의 시험 성적 하나에 내 마음의 희비가 엇갈렸다. 아들과 달리 성적이 소박한 딸아이를 보면서 깨달았다. 그동안 '그럼에도 불구하고' 내가 괜찮다고 생각한 아이는 성실하고 반듯하면서 공부만 못하는 아이를 상상했다는 것을 말이다. 너무 당연한 얘기지만 성적이 좋지 않다는 건 그 과정의 태도 문제와 분리할 수 없다는 것을 미처 생각하지 못했다. 딸아이에게 잔소리하는 횟수가 늘어나면서 믿음이었는지 바람이었는지 모를 그 착각에서 벗어나는 건 그리 오래 걸리지 않았다.

　내가 딸아이에게 잔소리를 하는 것이 성적 때문이 아니라고 아무리 주장해도 아이는 자기가 오빠처럼 공부를 잘하지 못해서 그러는 거냐며 속상한 마음을 내비쳤다. 그제야 난 내가 가지고 있던 이상한 믿음은 아무런 근거도 없었던 바람이었다는 것을 깨달았고, 나도 그저 그런 학부모처럼 아이에게 좋은 성적을 강요하는 속물 같은 모습에 조금 슬프기까지 했다.

나에게는 다른 믿음이 필요했다. 대한민국 학군 지에서 살고 있으면서 이런 걸 기대하는 게 어려운 걸까? 교육학을 전공했던 시절 가드너의 <다중지능이론>에 대해 크게 공감했던 기억을 떠올리고 관련 책과 영상을 찾아보았다. 가드너의 주장에 의하여 모든 사람은 다 각자의 다른 능력을 가지고 있다는 것이다. 가드너는 인간의 지능을 언어, 음악, 신체-운동, 논리-수학, 공간, 대인관계, 자아인식 지능 7가지로 구분해서 설명하고 있다. 어떤 아이는 수학을, 어떤 아이는 음악을, 어떤 아이는 체육을 더 잘한다는 것이다.

그 전제에는 **모든 사람의 각기 가지고 있는 다양한 능력의 합은 모두 100이라는 믿음이 깔려있다.** 가드너가 말한 7가지 지능보다 더 있을지 모르겠지만 확실한 건 모든 사람이 가진 재능은 여러 가지 종류이며 모두 다르다는 것. 이렇게 인간의 능력에 대한 큰 대전제를 인정하니 우리 아이를 제대로 볼 마음의 힘이 생기기 시작했다. 언어지능과 논리-수학 지능만을 수치화한 IQ로는 우리 아이의 재능을 모두 알아낼 수 없다.

딸아이는 아들보다 사회성이 참 좋다. (가드너의 7가지 재능 중 '대인관계 지능'에 속한다) 공부하는 틈틈이 쉬면서 패드로 그림을 그리는 걸 좋아하는데 미술을 따로 배운 적이 없는데도 감각적인 그림 그리기에 소질이 있다. 운동 신경이 좋아서 무슨 운동이든 빠르게 배우고 운동 자세가 오빠보다 멋지고, 리듬감이 좋아 춤도 곧잘 춘다. 이런 아이가 수학까지 잘하면 그게 이상한 일이 아닐까.

사실은 나도 알고 있다. 공부를 잘하면 학창 시절이 참으로 편하다는 것을. 선생님들의 사랑과 친구들의 인정을 받게 되니 말이다. 그렇다면 우리 아이의 학교생활이 조금은 편하지 않을 수 있겠구나. 그렇다면 엄마인 나는 무엇을 도와줄 수 있을까? 학교에서는 채워지기 어려운 아이의 자존감을 채워주는 일! 그것이 내 몫이라는 생각이 들었다. 너는 엄마에게 소중한 사람이고, 학교의 성적이 너의 재능을 모두 말해주고 있지 않으며, 앞으로 마주하게 될 세상은 더 넓고 큰 세상이라는 것에 대해서 알려주고 싶었다. 그리고 지금까지 아이의 모습 그대로 바라봐주고, 인정해주고, 자존감을 채워주고, 숨은 재능을 찾아주는 일에 최선을 다했다고 자부한다.

사실 학교에 너무 잘 적응해 다니는 것이 마냥 기뻐할 만한 일일까? 산업혁명 시기에 공장에서 일할 노동자를 키워내기 위한 곳이 학교의 시작이었다는 것을, 감옥의 구조와 크게 다르지 않다는 사실만 봐도 모든 아이가 학교생활에 잘 적응할 수 없다는 것은 어쩌면 당연한 일이다. 빠르게 변하는 세상에서 미래는 어떤 인재들이 이끌어가는 세상이 될지 조금만 고민해 봐도 학교만이 정답이 아님을 부모인 우리도 너무 잘 알고 있다. 혹시 우리 아이는 '근로자'가 아닌 '경영자'로 성장하려는 것인가? 라는 착각이라도 해도 좋을 기대를 해보는 재미는 덤이다.

워킹맘의 성장일기

6. 누구의 과제인가

– 아이와 건강한 거리를 갖게 해준 강력한 '질문'

삶의 큰 방향은 자신에게 던진 질문에 의해서 정해지고, 그 질문에 어떤 답을 하느냐에 따라 삶에 대한 태도가 정해진다고 생각한다. 나에게 어떤 질문을 던지느냐에 따라 그에 대한 답을 하면서 나의 삶은 앞으로 한 걸음씩 나아간다고 믿기 때문이다.

'이것은 누구의 과제인가?' 라는 질문을 [미움받을 용기]라는 책에서 처음 본 순간 나는 아주 큰 생각의 전환을 맞이했다. 심리학자인 아들러는 타인의 과제를 버리라고 말한다. 누구도 내 과제에 개입시키지 말고 나도 타인의 과제에 개입하지 말라는 것. 예로 아이가 공부를 열심히 해서 그 결과 이득이 돌아가는 사람이 아이라면, 그건 아이의 과제이지 나의 과제가 아니다. 다분히 철학적이지만 너무 명료한 아들러의 주장에 어떤 반론도 제기하기 어려웠고, 이 질문이 모든 인간관계의 시작이라고 말하는 아들러에게 솔직히 나는 반했다. 살아있는 철학자라면 찾아가서 제자가 되고 싶을 정도로.

[이기적 유전자]에서 유전자는 자신의 복제를 위해 생존 기계를 만들어 낸다고 주장한다. 결국 모성애라는 것은 프로그래밍에 가깝다는 이야기인데, 이걸 읽으면서 매트릭스의 빨간약을 삼킨 것처럼 정신이 번쩍 들었던 기억도 있지만, 잠시뿐이었다. 누가 시키지 않았는데도 부

모가 된 순간부터 '아이의 인생에 내 인생을 투영'하거나 '아이가 나보다는 좀 더 나은 삶을 살기를' 간절히 바라는 마음, 혹은 '누구에게 자랑할 만한 자녀였으면' 하는 이상한 기대까지 더해 아이의 삶에 불쑥 끼어들곤 했다. 하지만 **아이는 내가 아니다. 내 꿈을 대신 이루어주어야 할 의무도 없고, 시행착오 없이 반듯한 길만 가는 것도 어려울뿐더러 가능하지도 또 좋은 것도 아니다.**

이 질문을 통해 '어쩔 수 없는 일'을 내려놓을 수 있게 된 것과 동시에 나의 과제에 집중할 수 있는 시작점이 되어 주었다. 물론 머리로 이해해도 실천이 쉽지 않았고 솔직히 지금도 여전히 어렵다. 이 책을 지금까지 다섯 번 정도 읽었다는 것이 그 반증일 것이다. 그렇다면 부모로서 나의 과제는 무엇인가? 내가 부모로서 할 수 있는 일. 아이들을 사랑해 주고 지켜봐 주고 응원해 주고 손을 잡아주는 일을 흔들림 없이 할 수 있도록 부모로서 나만의 철학을 갖는 일이 아닐까.

'아이들과 좋은 관계를 유지하는 것이 무엇보다 우선한다.'

지금 내가 하는 말과 행동이 아이와의 관계를 망치는 일이라고 생각되면 항상 그 자리에서 멈추었다. 내가 이루고자 하는 목적이 변하지 않아도 방법을 달리할 수 있지 않을까? 어떤 방법이 있을까? 지금은 생각하지 못한 제3의 대안이 분명히 있다는 믿음으로 공부하고 노력하는 부모가 되는 시작점이 되어 주었다. 이렇듯 이 문장에 담은 나의 부모로서의 철학은 내 삶의 등대가 되어 수많은 선택의 순간에 든든한 힘이 되어 주었다.

7. 모든 사람은 성장한다.

- 경험을 통한 성장만이 오롯이 나의 것이다.

초등 시절 꿈은 선생님이었다. 하지만 고3 입시를 앞두고 교대 가기가 정말 어려운 일이라는 걸 알게 되었고 결국 그렇게 꿈을 향한 첫발은 내딛지 못했다. 하지만 꿈이라는 건 정말 놀랍게도 방향을 결정하는 힘이 있는듯하다. 첫 직장에 입사 후 1년 안에 교육팀에 몸을 담았다. 아이들을 가르치는 선생님은 아니지만, 성인을 교육하는 일도 크게 다르지 않을 것 같았다. 그렇게 내 인생에 '교육'이라는 직업과 인연을 맺기 시작했다.

나는 지금까지 교육담당자로 일하면서 직업에 대한 만족도가 꽤 높다. 채용을 담당하는 인사팀 직원들은 '사람은 변하지 않는다'는 주장과 함께 그래서 좋은 인재를 채용해야 한다는 주장을 하곤 한다. 반면 교육팀 사람들은 좀 다르다. '사람은 변한다'는 생각을 바탕으로 효과적인 교육을 기획해야 하기 때문이다. 난 사람이 변한다는 철학을 바탕에 둔 교육담당자의 길을 선택했다. 사람은 여러 가지 경험을 통해 깨닫고 변화한다. 그것도 좋은 방향으로 말이다. 우리는 그것을 '성장'이라고 부른다.

내가 경험하거나 지켜본 성장의 모습은 아래와 같았다.
1. 갈지자로 성장한다.

: 좌충우돌 헤매지만 결국 중도의 길을 따라 앞으로 나아간다.

2. 나선형으로 성장한다.

: 생각은 끊임없이 변하고 어느덧 돌아보니 제자리로 돌아온 것 같지만 출발했던 그 자리가 아니라 한 단계 위에 있다.

3. 계단형으로 성장한다.

: 어제와 똑같은 오늘 같지만 조금씩 앞으로 나아가다 보면 분명 한 계단 높아질 때가 반드시 온다.

이 외에도 다양한 성장 방식이 있을 수 있지만, 확실한 건 직선으로 성장하는 지름길은 없는듯하다. 조금 헤매는 것 같아도 결국 자신만의 길을 찾아갈 거라는 믿음이 있다. 이런 믿음에도 불구하고 나는 삶을 살아가며 예상하지 못한 일들로 크고 작은 두려움과 늘 마주해야 했다. 그럴 때마다 **살아가며 마주하는 모든 경험을 성장이라는 관점으로 바라보면서 나의 두려움을 다스렸고, 지금도 여전히 그 길 위에 서 있다.**

삶은 여행과 닮았다. 집으로 돌아오기 위해 여행을 하는 것이 아니듯, 죽음으로 향해가는 것이 삶이 아니라고 믿는다. 모든 사람은 언젠가는 죽고, 어떤 것도 가져갈 수 없으며, 오롯이 경험만을 안고 가는 것이 인생이기에 내가 직접 경험한 것만이 내 것이고, 어떤 경험이라 해도 그걸 통해 깨달음이 있었다면 의미가 있지 않을까. 우리 아이들도 앞으로의 인생에서 마주하는 경험을 어떻게 받아들이며 성장해갈까 무척 기대된다.

8. 건강한 거리에 대하여

솔직히 가족 구성원 사이 '사랑'이 아닌 '거리'에 대한 이야기를 시작하며 조금은 조심스럽기도 했다. 아이를 키우며 누구보다 가까이에서 힘껏 끌어안아 주어야 할 순간도 분명 필요하기 때문이다. 내가 말하는 거리는 상처받지 않기 위해 덜 사랑하기 위한 거리 두기가 아니다. 너무 가까워도 제대로 볼 수 없지만, 너무 멀리 떨어져도 온기를 느낄 수가 없으니 말이다.

사랑 가득한 눈으로 아이를 제대로 바라볼 수 있는 거리,
언제든 손 내밀면 서로 따듯하게 안아줄 수 있는 거리,
온기가 느껴지고 함께한다는 느낌을 받을 수 있는 그 거리 속에서의 사랑에 대해서 말하고 싶었다.

그리고 우리 아이들이 자신을 사랑할 수 있는 사람이 되기를 바라는 만큼, 나 자신을 사랑하는 일을 소홀히 할 수 없다. 나도 우리 엄마 아빠에게 소중한 막내딸이니까. 이 글은 아이들을 올바르게 사랑하기 위한 나의 다짐이자 동시에 나를 더 많이 사랑하기 위한 기록이다.

아이를 너무 사랑하는 마음 한 편에는 누구의 엄마로 불리우면서 나 자신은 없어지고 아이를 향한 맹목적인 사랑이 나를 온통 물들이는 것 같은 느낌이 들기도 했다. 그 느낌이 어느 날은 충만한 행복이었고, 어느

날은 가슴 한 편이 시린 허무함이었다. '엄마'라는 존재는 어쩌면 아이를 낳는 순간 원래의 '나' 본연의 모습을 잃어버리게 되는 걸까? 난 원래 어떤 사람이었던가? 아이가 없었다면 지금의 내 삶은 어떤 모습일까? 상상이 잘되지 않는다. 그래도 괜찮다.

아이를 통해 바라본 세상이 참으로 좋다. 우리 아이들이 살아갈 세상이기에 더 따듯한 시선으로 바라볼 수 있었고, 이번 생에 우리 아이는 어쩌면 나의 스승으로 이 세상에 온 건지도 모른다는 생각을 해본다. 그 인생길에서 너무 앞서 가거나 뒤에서 밀지 않고, 아이 옆에서 손을 잡고 나란히 걸어가는 내 모습이 좋다.

'지금의 나는 두 아이와 건강한 거리를 유지하고 있다.'

[에필로그] 나의 동반자에게

아이들이 이렇게 밝고 건강하게 자랄 수 있는 건 모두 나의 덕분이라고 말해주는 당신이 있어서, 그리고 그런 당신이 지금처럼 앞으로도 변함없이 날 사랑하고 지지해 줄 거라는 믿음 그 심리적 안정감 덕분에 난 아마도 내 자리에서 최선을 다할 수 있었던 것 같아.

이 글을 쓰면서, 아이들에게 노력한 만큼 어쩌면 당신에게는 소홀했구나 하는 미안함이 들었어. 아마도 난 당신에게만큼은 노력하지 않는 날 것의 내 모습을 그대로 보여주고 싶었나봐. 그건 당신을 향한 무한 신뢰이고, 어쩌면 내 방식의 사랑 표현이었지만, 참으로 서툴렀던 것 같아. 그런 부족한 내 모습에도 불구하고 순수함을 찾아 나에게 표현해주는 당신에게 늘 고마워.

우리는 제법 대화가 잘 통하고, 나이에 비해 장난기가 많아 아이들과도 함께 웃고 즐기는 일상의 행복을 채워가고 있고, 가끔 다투어도 먼저 손내밀어서 화해할 수 있는 용기를 가진 괜찮은 부부의 모습으로 결혼 20주년을 맞이했다고 생각해. 이제 아이들은 독립해서 우리 품을 떠나갈 테고 앞으로는 당신과 함께 인생 3막을 시작하겠지? 그때에도 지금처럼 서로에게 '고맙고 사랑한다'고 표현할 수 있기를!

루사

강민정

mj77열차

<mj77열차>

mj77 열차에 탑승하신 여러분 환영합니다.
이 열차에 탑승하시기 전에
눈을 감고 깊은 심호흡 한번 한 뒤
편안한 마음으로 탑승하시기 바랍니다.
1호 차부터 7호 차까지의 객차 간 이동이
자유롭고 객차 간에 각기 다른 승객들이 탑승 중이오니
함께 즐기시다 보면 목적지에 도착해있을 것입니다.
부디 내리실 때 잊어버린 감정 없으신지 잘 확인해
주시면 감사하겠습니다.

#1호차

→가슴 한구석이 허전하신 분들의 탑승 구간입니다.

*♪世界の約束 ～人生のメリ-ゴ-ランド / Sekaino Yakusoku ~Jinseino Merry-Go-Round

(하울의 움직이는 성 OST) - Baisho Chieko

5가지 감정 중에 하나의 감정을 잃어버렸다

언젠가부터 허전해진 가슴을 참지 못하고 기차에 올라 사라진 감정을 찾아 떠난다. 기차 안에서 감정들이 서로 말을 한다. "혼자 어떻게 그 아이를 찾아!" "그건 어려운 일이야!" "어리석은 행동하지 말고 기차에서 내려 집으로 돌아가!" 서로 감정들은 자기주장을 펼치며 시끄럽게 떠들어 대기 시작했다.

한쪽 구석에서 훌쩍거리는 소리가 들렸다. 돌아보니 두려움에 겁을 먹은 슬픈 감정이었다. 다들 아랑곳하지 않고 각자의 목소리를 높였다.

차창 밖으로 추적추적 빗방울이 떨어지기 시작했다. 동쪽의 일출에서 출발한 기차는 터널을 지나 서쪽의 석양을 향해 달려가고 있었다.

"숨어버린 그 아이를 찾을 수 있을 것 같아? 넌 불안전한 존재잖아!"

"그래, 나도 알아 그래서 완전한 모습이 되고 싶다고!"

"서쪽 바다 끝에 떨어지는 석양이 답을 알고 있을 것 같은 느낌이 들어 날 말리지 마!" 그때 서쪽 역에 도착했다는 안내방송이 들려왔다.

사람들은 물결처럼 기차에서 밀려 내려왔다. 바로 서쪽 바다로 달려가 석양을 만나고 싶었지만 너무 긴장한 탓에 아침부터 아무것도 먹지 못해 배에서 꼬르륵거린다고 투덜거렸고 힘이 없어 한 발짝도 뗄 수 없다고 하며 주저앉아 징징거렸다. 낯선 곳은 위험하고 쉽게 그 아이를 찾기 어려울 것이고 숙소도 없을 거라고 따지기도 했다.

그 아이가 왜 도망갔는지 마음먹고 꽁꽁 숨어버린 이유를 누구보다 잘 알지 않냐고 떠들었다. 다들 불만어린 소리에 하는 수없이 나는 양보하고 일단 고기집으로 향해 그 들의 입을 상추 쌈으로 틀어막았다.

고기를 구우며 그 아이가 왜 떠나게 되었는지 각자 한마디씩 이야기했다.

"니가 매사에 걱정이 많으니까 그런거 아니야!"

"알 수 없이 버럭 화를 내니까 그런거지"

'화를 그렇게 자주 내진 않은 것 같은데......'하고 나는 생각했다.

"혹......시 말이야 자기 할말을 잘 못하는 답답한 나 때문 아닐까?...."

서로 고기를 뒤적거리고 쌈에 고기를 올리며 대화를 했다.

그 아이는 참기 힘들었을 것이다. 자기 자리가 점점 줄어들고 사라질 위험에 놓인 것이 보였을 때 도망친 것이었다. 정말 없어질까 봐 겁이 나서 숨었을 것이다.

더 어두워 지기 전에 식사를 마무리하고 서쪽 석양에게 그 아이가 숨은 곳을 물어보러 가야 했다. 택시를 타고 석양이 바다에 숨어버리기 전에 바다로 향했다. 구름 속에서 숨바꼭질을 하며 쉽게 모습을 보여주지 않았다. 택시에 내려 질문을 하려고 하자 바다의 모래바람이 거칠게 몰아치며 입을 막았다. 아마도 그 아이가 부탁한 것 같았다. 자기가 있는 곳을 알지 못 하게 말이다. 하지만 모래 바람도 막지 못했다.

그 아이를 찾기 위한 의지는 누구보다 강했기 때문이다. 더 이상 불완전한 상태에 머무를 힘이 없었기에 따가운 모래바람을 뚫고 앞으로 나아갔다. 바다 수평선으로 숨어버리려는 찰나였다.

"그 아이 보았니?"

큰 소리로 물었다. 거센 파도 소리에 목소리가 삼켜지며 여러 차례 다시 시도한 끝에 둥근 머리끝을 남기고 석양이 말해 주었다. "네 발아래 조그마한 웅덩이 속에 숨어 있어"라고 들려왔다. 그리곤 아래를 내려다보니 정말 바닷물이 모래사장 중간에 조금 고여 있었고 그 웅덩이 속에 빨갛게 달아오른 그 아이가 수줍게 미소 짓고 있었다.

"나를 찾으러 와주었구나! 이 웅덩이가 점점 작아지고 있어서 사라질까 봐 두려웠는데 그전에 나를 찾아 와줘서 행복해~"라고 말했다. 수평선으로 사라진 석양은 아직도 붉은빛의 여운을 남기며 우리를 비춰주고 있었다.

그리고 나는 완전해졌다.

#2호차

→비밀감정을 재료로 새로운 빵을 만들어 볼 수 있는 구간입니다.
*준비물: 말랑말랑한 마음과 용기
♪'The Most Beautiful Thing' -Bruno Major

감정 제빵소

아무도 모르게 간직한 비밀감정들이 있다. 그 감정들은 숨기다 숨기다 더 이상 숨길 수 없을 때 타이머가 울린다. 그럼 감정 제빵소에서 연락이 온다. 타이머가 울렸으니 감정 제빵소로 오라는 주소가 적힌 비밀문자가 전달된다.

그 문자를 받은 사람들은 기차를 타고 매주 토요일에 주소지로 비밀감정을 데리고 모인다. 그곳은 일반인들은 들어갈 수 없었다. 밖에서 보기에는 수족관이 놓인 횟집이기 때문이다. 비밀문자의 바코드를 입력해야 감정 제빵소의 비밀 문을 볼 수 있었다.

감정 제빵소에는 각기 다른 감정 주인들이 모였다. 제빵사는 감정의 기한이 다 되었기 때문에 더 이상 함께 할 수 없고 이 자리에서 때어놓고 바라보며 반죽한 다음 원하는 재료를 넣어 모양을 완성한 후 오븐에 넣어야 한다고 했다. 우린 각자의 비밀고민을 공유하며 7일 동안 오븐에 넣을 준비를 했다. 그 과정에서 아쉬워 울기도 하고 부끄러워 보여주기를 망설이도 했다. 누구는 비밀감정을 잘못 데리고 오기도 했다.

그곳은 비밀감정을 품고 살아가는 사람들에게 꼭 필요한 곳이었다. 그들의 비밀감정들은 오븐에 들어가 7일이나 각자의 다른 모습의 빵으로 만들어져서 나왔다. 등껍질이 오돌토돌한 거북이 소보로 빵, 아기 엉덩이 말랑말랑 모찌 빵, 검은색의 먹물 몬스터 크림 빵, 동글동글 돌아가는 블루베리 베이글, 다디단 밤 식빵........ 이렇게 가지 각 색의 맛과 모양을 한 빵들은 투명 상자속에 들어가 어디든 트럭을 기다리며 따뜻한 빵 내음을 폴폴 풍겼다.

누구의 마음속으로 들어가 새로운 감정으로 살아갈까? 하고 말이다.

#3호차

→와인 잔에 나를 담고 함께 흠뻑 취하고 싶으신 분들 구간입니다.
*콜키지 프리- 당신에게 만/ ♪Misty - Ella Fitzgerald

나는 와인 잔을 그린다

영롱한 빛을 내며 줄지어 놓인 와인 잔들을 보았다. 투명하게 서로의 모습을 담아내며 은은한 조명을 받아 보석처럼 아름다웠다. 그들의 겹쳐진 모습은 와인 잔 하나가 보여주는 독주자의 모습과는 또 다른 매력을 나타내며 심포니를 연주하고 있었다. 그 음악 소리에 취한 나는 와인 잔을 그리기 시작했다.

잔은 무엇이든 담을 수 있다. '담는다'라는 말이 의미 있게 느껴졌다. '나'라는 잔에 무언가를, 누군가를, 무엇이든 넣을 수 있는 가능성과 무한함을 말해 주었다.

잔에 원하는 것을 넣고 그 잔을 유심히 바라본 적이 있었다. 테이블 위에 놓인 잔은 반쯤 채워져 있었고 그 투명함은 창밖의 빛을 받아 자신을 투영시킨 또 다른 모습을 테이블 위에 보여주었다.

그리고 투영된 또 다른 나와 너는 줄지어 선다. 서로의 모습을 비춰가며 계속해서 확장 시켜나간다. 그 이야기를 보며 자신을 투영시켜서 새로운 이야기를 만들어낸다.

나의 캔버스 위는 비로소 그들과 나의 이야기로 가득 찬다.

강민정

#4호차

→두근두근, 설렘의 심장이 필요하신 분들 구간입니다.
*라이브 공연/♪볼 빨간 사춘기- '좋다고 말해'♪

첫 만남

누구나 다 처음은 존재한다. 그리고 특별하다. '첫'이란 우리에게 두근거림과 설렘의 감정을 선사한다. 이 단어를 듣는 순간 각자의 처음의 가슴 떨 리 던 순간으로 시간여행을 시작했을 것이다. 그리곤 그 시간 속 나를 보며 두 볼이 빨개질 수도 입가에 살짝 미소가 번질 수도 있다.

삶의 길에 신나게 달리기를 시작한 우리들은 첫 만남과 같은 설렘의 감정을 점점 잊고 살아간다. 무덤덤한 심장과 눈감고도 행할 수 있을 것 같은 일상 속에서 심장 박동수의 리듬은 지루하리만큼 느리고 규칙적이다.

오래되어 천천히 가는 시계처럼 미지근하게 식어 버린 커피처럼 거실 한구석에 놓인 반쯤 남은 디퓨저처럼 얼음이 녹아 닝닝한 맛의 하이볼과 불판 위에서 숯불 향만 남기고 차갑게 굳어버린 닭발처럼 삶이 그렇게 두근거림 없이 심심한 맛을 느끼고 있다. 이 시점에서 다시 두근거림을 찾을 용기를 낸다면 각자의 문득 찾아오는 어떤 포인트로 인해 다시금 그 리듬을 느낄 수 있을 것이다. 부디 나의 반복되는 지루한 일상 속에서 스파크와 같은 인생 터닝포인트가 될 기회를 흘러보내지 말고 그 리듬을 다시 기억해 내길 바란다.

강민정

#5호차

→지친 일상에서 나를 위한 따뜻한 저녁 식사를 하고 싶은 분들의 구간입니다.

*달빛토끼를 따라오세요.

♪'Le Festin'-camille(라따뚜이 OST)

당신을 위한 저녁식사

가로등에 불이 켜진다. 도시의 건물들은 하나둘 자신을 뽐내듯 불을 밝힌다. 어두움은 그들의 불빛을 받아 달리는 차 안으로 들어간다. 오늘도 어딘가의 전쟁터에서 힘들게 살아남아 지친 영혼들을 찾는다.

그 빛은 한강 위 다리를 건너 그 들을 저녁 식사에 초대한다. 전쟁터에서 얻은 부상을 치료할 수 있는 음식이 나온다. 그곳은 달빛토끼 식당이었다. 여사장님은 그 들이 문을 '딸랑'하고 열고 들어오는 순간 그 사람에 오늘의 상처를 스캔하는 능력이 있었다.

'딸랑'~ 오늘의 손님이 들어왔다. 50대 남자 손님은 개인사업체를 운영하는 사람이었다.

"어서 오세요." 여사장님은 나지막하지만 정감 있는 따뜻한 음성으로 맞이했다.

그분은 자신이 선택한 길이 어느 정도 안전기에 진입했지만 자신에 대한 높은 기대치에 부응하기 위해 열심히 달리고 있었다. 거기에서 오는 스트레스와 긴장감이 보였고 내면으로는 달리고 있는 것이 자신의 정체성을 잊고 가는 것 같아 공허해 하며 잠 못 들고 있었다.

먼저 여사장님은 긴장을 풀어주는 따뜻한 캐머마일 차를 내주었다. 체리 빛 둥근 테이블에 오렌지색 작은 등 불이 놓인 불빛 아래 노란색 꽃잎이 찻잔 위를 떠다니며 김을 모락모락 올려냈다. 차를 마시고 긴장이 풀릴 때쯤 달그락달그락 소리를 내며 음식들이 나왔다. 단호박 속에 찹쌀과 밤을 넣어 지어낸 밥과 쑥국이 담겨있었다. 심심한 맛을 채워 줄 갓김치도 보였다.

"오늘도 많이 힘드셨군요.~ 스트레스로 인한 면역력 저하를 돕고 몸 안에 온도를 높이며 쫀득한 찰밥은 공허함을 채워 줄 것입니다."

손님은 오직 자신을 위로해 주는 정성 어린 저녁 식사를 한다. 자신에게 온전히 집중하며 요란스럽지 않게 음식 고유의 맛을 느낀다. 몸속 세포들이 반응하고 그는 치유를 받고 따뜻한 온기를 남기며 돌아간다.

잠시 후 다시 '딸랑' 하고 종이 울리며 두 번째 손님이 들어왔다. 60대 후반의 여자 손님은 지방에서 서울 딸 집에 방문하고 당일에 돌아가는 중에 들리셨다. 뷰티숍을 운영 중이셔서 1박이 어려워 잠시 시간을 내어 딸을 보고 급하게 돌아가던 중이신 분을 달빛토끼가 모셔온 것이었다.

"어서 오세요.~" 여사장님은 자신의 어머니를 맞이하듯 반갑게 인사를 했다. 두 번째 손님은 여유가 필요하다는 것이 느껴졌다.

가족을 위해 자신의 손으로 무엇이든 해결을 해야 하는 강박이 있었다. 조금도 흐트러진 모습을 보여주고 싶지 않고 완벽을 추구했다. 그러다 보니 육체의 고달픔과 항상 바쁜 인생을 살아온 것이 느껴졌다. 다크 초콜릿 색상의 둥근 테이블 위에 따뜻한 꿀 한 스푼을 넣은 생강차가 나왔다. 달콤 쌉싸름한 향이 가득 퍼졌다. 차를 한 모금 넘길 때마다 심신의 여유가 찾아왔다. 찻잔을 비워갈 즘 보글보글 소리와 함께 음식이 나왔다. 신선한 야채와 가지런히 놓인 고기 옆으로 아담한 냄비에 육수가 담겨있었다.

천천히 먹을 수 있는 샤브샤브였다.

두 번째 손님은 시간을 잊고 천천히 맛을 느낀다. 숨 가쁜 호흡은 편한함에 이르며 심신은 안정감을 찾는다. 온화한 미소를 남기고 두 번째 손님이 떠났다 테이블이 정리될 즘에 세 번째 손님이 '딸랑' 소리와 함께 들어왔다. 40대 미혼의 손님이었다.

오늘 하루도 직장생활 속에서 눈치를 보고 사람들과 교류하며 자신을 숨겨두고 그들과 함께 공감하는 힘든 상태의 손님은 집으로 돌아가 하소연을 할 대상 조차 없음에 더욱 외로움을 느꼈다. 그런던 중에 가로등을 따라 걷다가 달빛토끼를 만나 식당에 들르게 되었다.

"어서 오세요.~" 여사장님은 친구를 위로하듯이 인사를 했다. 노란빛의 타원형 테이블에 앉은 세 번째 손님 앞에 각얼음이 탑을 지고 있는 맑은 갈색의 얼그레이 하이볼 두 잔을 들고 허브잎을 올리며 마주 앉았다. "내가 아닌 모습으로 하루를 보내고 숨겨 두었던 '나'를 찾고 싶으시군요?" 여사장님은 대화가 필요한 세 번째 손님과 함께 '나'를 찾을 수 있는 대화를 이어나갔고 손님은 얼그레이 하이볼이 맛이 있다며 한 잔을 더 청했다.

잠시 후 작은 버너 위에 각 가지 맛의 어묵탕이 얼그레이 하이볼과 함께 나왔다. 둘은 서로 다른 어묵들의 맛을 공유하며 이야기 속으로 빠져들어갔다. 외로움은 어느새 어묵탕 국물에 녹아 들어갔다. 따뜻한 마음의 위로를 받고 세 번째 손님이 돌아갔다.

'딸랑' ~

오늘도 달빛토끼는 불빛 사이로 지친 영혼을 찾아 여기저기를 뛰어다니며 손님을 모셔온다.

"어서 오세요~" 여사장님은 오직 당신을 위해 달빛 요리를 시작한다.

#6호차

→에메랄드 바다 위에서 레이싱을 즐기실 분들을 위한 탑승 구간입니다.

*아이스아메리카노 한잔 테이크아웃!!

♪ 'Into the Unknown'(Frozen2 OST) - Idina Menzel, AURORA

나만의 볼륨을 맞추고 달린다.

스피드k는 레이서를 꿈꾼다. 강렬한 레드 컬러에 매끈하고 날렵한 스포츠카를 타고 막힘없이 뻥 뚫린 해변도로 위를 달리는 상상을 하며 오늘도 드라이브를 나선다. 하지만 현실은 베이지색에 둥글둥글 한 미니 사이즈의 차위에서 꿈길로 향하는 나만의 볼륨을 맞춘다. 볼륨을 맞춘다는 것은 아주 중요했다. 라디오의 주파수를 정확하게 맞춰야 DJ의 음성을 전달 받을 수 있듯이 고도의 집중력이 필요하다. 나를 알고 내 안의 소리와 손끝으로 전해지는 전율을 잡아내는 중요한 일이었다. 볼륨이 울려 퍼지기 시작하면 나의 미니카는 어느샌가 강렬한 레드 스포츠카로 변신해 에메랄드 바다 위를 달리기 시작한다. 그럼 나는 사라지고 볼륨을 타고 스피드k가 스피드를 즐기기 시작한다. 내 안에 나는 꿈속이 아닌 에메랄드 바다 위에서 현실로 존재했다. 신호등도 방지턱도 커브 길도 없이 오직 뻥 뚫린 끝이 없는 바닷길이었다. 스피드k는 달리다가 바다 위에 뛰어들어 파도를 타며 서핑을 즐긴다. 거센 파도를 상대로 킥복싱을 하기도 하며 자신 안에 에너지를 맘껏 표출한다. 그리고 다시 나만의 볼륨을 한 것 높이고 스피드를 즐긴다. 달빛이 바다에 반짝이는 별들로 길을 만들어주며 다시 미니카로 돌아갈 시간을 알려줄 때까지 말이다. 그 순간 달빛을 받아 나로 돌아간다. 가슴속에 끓어오르는 에너지 볼륨은 잠시 줄어든다. 미니카에 잔잔한 음악 소리가 일상으로 나를 안내한다.

언젠가 다시 내 안에 스피드k가 말을 걸어 올 때 난 다시 볼륨을 맞추고 레드 컬러의 스포츠카를 타고 달리며 스피드를 즐길 것이다.

#7호차

→시골쥐와 함께 도시 생활 체험하실 분 탑승 구간입니다.
*준비물: 치즈 줄줄 흐르는 영국 베이글
♪'서울의 잠 못 이루는 밤' -10CM (Feat. 이수현)

시골쥐 서울 상경기

동쪽에 살던 시골쥐가 서울에 사는 서울쥐에게 초대장을 받았다. 서울쥐가 새로운 집으로 이사를 했다고 시골쥐를 초대한 것이었다. 시골쥐는 서울행 기차를 타고 잔뜩 기대에 부풀어 여러 상상을 하며 도착 방송을 기다렸다. 한참을 달린 기차 창밖으로 서울쥐가 마중 나온 것이 보였다. 시골쥐는 반갑게 손을 흔들며 가방을 챙겨 기차에서 뛰어내렸다. 서울쥐가 멀끔히 차려입고 인사하며 자기 집으로 안내했다. 집주변은 없는 것이 없었다. 백화점, 마트, 식당, 병원, 학교, 놀이동산....... 시골쥐 동네에선 상상도 못 할 일이었다. 이런 곳을 가기 위해서는 1시간에서 길게는 3시간 이상은 가야 했다.

그곳은 음식점도 가던 곳 중에 돌아가며 가야 했지만 이곳은 몇 년 동안 한 번씩만 가도 다 못 갈 만큼 맛집들이 많았다.

둘은 대로변을 따라 줄지어선 맛집들 중에 줄을 선다는 곳에 가서 배가 불룩해지도록 먹었다. 밤이 깊어 질수록 서울은 더 밝은 빛을 내었다. 시골은 벌써 칠흑 같은 어둠에 가로등 불빛이 전부인 길들이 펼쳐졌을 것이다. 형형색색의 불빛을 따라 서울쥐의 집으로 향해 잠을 청했다. 대로에 자동차와 오토바이 소리가 새벽까지 들려왔다.

잠을 설치며 조금 늦게 일어나 둘은 놀이동산이 보이는 호수 공원에 벚꽃 구경을 가기로 했다. 사람구경과 꽃구경을 함께 한 시골쥐는 다리가 아팠다. 하지만 가는 곳마다 자리가 없었다. 사람 구경을 원 없이 한 날이었다. 호수 공원 중간에 놀이동산이 있고 그 주변으로 벚꽃과 사람들이 함께 돌고 있었다. 서울의 진정한 모습을 보는 듯했다. 하지만 시골쥐는 그런 서울이 싫지 않았다. 화려한 불빛과 북적거리는 사람을 둘러싼 빌딩들 사이로 자연의 푸르름이 간간이 자리 잡고 있는 모습이 이색적이면서도 묘한 끌림을 느꼈다.

시골쥐는 한동안 서울쥐와 함께 지내며 서울을 좀 더 알아가기로 했다. 시골쥐는 그 날밤 서울 상경기란 일기를 쓰기 시작했다.

서울은 지하철을 타고 어디든지 갈 수 있었다. 목적지로 향하며 지하철 속에서 쥐들을 관찰하는 습관이 생겼다. 서울쥐들은 유독 몸의 털이 짙은 회색으로 보였다. 표정들도 없었고 하나 같이 귀에 콩나물을 끼고 무언가에 홀린 듯 보고 있다가 문이 열리면 회색 구름 때처럼 뭉쳐서 빠르게 사라지곤 했다. 시골쥐는 그 속에서 유독 갈색의 털빛이 그들과 다르게 보였다. 지하철을 탈 때마다 시골쥐의 일기장의 페이지 수는 늘어갔고 시골쥐도 점점 서울 생활에 젖어들어갔다.

지하철 속에서 더 이상 갈색 털의 시골쥐를 구별하기 어려워졌다.

오늘도 지칠지 모르고 빌딩 사이로 회색빛 공기를 마시며 지하철 계단을 내려간다. 짙은 회색빛 쥐가 구름 속으로 사라지며 서울 상경기를 이어나갔다.

일기장 속에는 서울의 다양한 희로애락이 적혀있겠지.........
이제 막 도착한 또 다른 시골쥐가 읽어주길 바라면서 말이다.

#7+1호차

→mj77호의 마지막 비밀 칸입니다.

1호~7호까지의 여행을 다녀오신 여러분 따뜻한 마음의 온기를 얻으셨나요?

그럼 각자의 자리에 놓인 카드를 열고 자신이 가고 싶은 곳을 적어주세요. 어디든지 가능합니다. 열차의 도착 방송이 나오면 내리시기 전 열차 문에 그 카드를 찍어주세요. 문이 열리면 각자 카드에 적은 곳으로 가게 되오니 또 다른 여정을 따뜻한 심장으로 즐기시기 바랍니다.

*마음의 온기가 파랗게 식어갈 때쯤 mj77열차가 핑크빛 이야기를 가득 싣고 다시 찾아오겠습니다.

♪'나는 반딧불'-중식이♪
나는 내가 빛나는 별인 줄 알았어요.
한 번도 의심한 적 없었죠
몰랐어요 난 내가 벌레라는 것을
그래도 괜찮아 난 눈부시니까
하늘에서 떨어진 별인 줄 알았어요
소원을 들어주는 작은 별
몰랐어요 난 내가 개똥벌레라는 것을
그래도 괜찮아 나는 빛날 테니까

박수일

지향하는 삶

들어가며

더 나은 사람이 되는 것, 내가 생각하는 이상적인 사람으로 나를 발전시켜 나아가는 것. 이게 나에게 살아가는 큰 원동력이다. 그런 생각을 하다 보니 어떻게 하면 인격적으로 나아질 수 있을까에 대해서 고민을 많이 해왔다. 이 글에 담긴 내용은 그런 과정 중에 나오게 되었다. 이 내용은 나중에 가서 수정될 여지도 있다. 그렇기에 가설적인 생각이라고 봐야 한다. 아무튼, 내가 담을 내용은 내가 인격적으로 도달하고 싶은 어떤 이상향에 관한 이야기이다. 왜 이 이상향을 롤모델로 삼았는지는 딱히 이유가 없다. 마음이 끌리는 게 먼저였고, 거기에 이성적으로 이유를 붙여보고 싶었지만, 아직까진 그 명확한 이유를 찾지 못했다. 지금까진 '그저 다른 것을 롤모델로 사는 것보단 더 좋은 결과를 낳을 것 같아서'가 가장 타당한 이유라고 볼 수 있겠다. 내가 생각하는 인격적인 이상향을 어떤 문장으로 나타내기는 어려운 것 같다. 그래서 여러 측면과 상황을 예로 들려고 한다. 그러면 어느 정도 내가 생각하는 이상향에 대한 윤곽이 잡히지 않을까?

사실 나는 다른 사람에게 이러이러하게 살아야 한다고 설교하고 싶은 생각은 전혀 없다. 그저 나는 어떤 삶의 지침으로 사는 것이 좋을까 하는 고민을 하다 보니 책과 경험과 대화들을 통해 여러 사상을 접하게 되었고, 내가 끌리는 사상들을 관통하는 것으로 보이는 개념이 내 머릿속에서 어렴풋하게 드러나게 되었다. 수천 년 동안 철학자들은 어떻게 사는 것이 맞는가에 대해 생각했지만, 정답을 내리지 못했다. 그래서 어떻게 살아야 하는지에 관한 것은 개인마다 적용할 수 있는 답이 다르다

지향하는 삶

고 생각한다. 여러 가지 답 중에 나는 그저 나는 이런 답을 나의 삶의 지침으로 택했을 뿐이다. 나는 이 이상향에 가까워질수록 더욱 안정적인 행복을 누릴 수 있을 것으로 생각한다.

올바른 기대

세상에 대해 올바른 기대를 해야 한다고 생각한다. 올바른 기대란 표현이 다소 오해를 불러일으킬 수 있겠다. 올바른 기대는 세상이 내 뜻대로 흘러가지 않을 수 있다는 것을 인지하는 것이다. 하지만 우리는 인간이기에 자기가 원하는 결과가 나타나기를 매우 기대한다. 아마도 내 생각엔 이 기대가 대부분의 불행의 시발점인 것 같다. 나도 세상이 내 뜻대로 흘러가지 않는 것에 대해 분개했고, 내 뜻대로 흘러가지 않을 수 있다는 것을 받아들이려고 했다. 그렇게 받아들이는 것은 너무나 고통스러운 일이었다. 나 자신이 너무나 중요했기 때문에 일이 원하는 대로 안 풀릴 수도 있다는 것을 인정하는 것은 힘들었다. 올바른 기대를 하는 것에는 두 번째 의미도 있다. 세상의 밝은 측면만 보려는 것이 아닌 어두운 측면도 보는 시각을 갖는 것이다. 이 두 가지 의미로서의 올바른 기대는 인격적인 성장을 위한 초석이라고 생각한다.

용기

한 개인이 용기를 갖는다는 것은 매우 중요하다. 용기나 용감한 행동을 떠올리면 불이 나서 무너지기 일보 직전인데도 불구하고 미처 빠져나오지 못한 시민을 구하기 위해 목숨을 걸고 화재현장으로 뛰쳐들어가는, 그런 장면이 떠오른다. 이런 장면은 당연히 용감한 행동을 나타내는 장면이다. 이런 장면은 그렇기에 종종 사람들에게 이런 이야기들은 일시적인 흥분이나 자신감을 불어넣어 주지만, 그런 감정들은 이내 사그라지고 일상생활로 복귀한다. 이런 이미지에 들어맞을 만한 상황은 일상생활에서는 드물기 때문이다.

그러나 나는 내식대로 용기를 '알면서도 행하는 것'이라고 정의하고 싶다. 앞의 화재현장 얘기로 돌아가 보면, 위인의 행동이 그저 무지에서 비롯되었다면 그 인물은 무모한 것일 뿐 용감한 것이라고 볼 수 없다. 무모하다는 단어의 부정적인 뉘앙스가 위인에게는 어울리지 않더라도, 그 행동의 원인은 무모하다고 해야 할 것이다. 그 행동은 열정과 감정에서 온 것이지 이성에서 온 것이 아니다. 반면에, 용기는 이성적인 판단과 관계되어 있다. 사태를 좀 더 다면적으로 보고 행동하는 것이다. 용감한 위인이라면 그 상황에서 죽을 확률이 매우 높다는 것을 알면서도 누군가를 구하기 위해서 자신을 희생할 각오로 들어갔을 것이다.

일상생활에서도 용감한 행동은 있다. 알고 싶지 않고 받아들이기 힘든 진실을 마주하는 것은 용감한 행동이다. 이러한 진실들은 개인의 처지에서 이러한 진실들은 대부분 개인의 가치관을 송두리째 뒤흔들 수도 있는 종류의 것이기 때문에 직시하기가 어렵고 마주하기 고통스러울 수 있다. 이런 진실은 개인의 틀린 기대, 즉 순진한 기대를 꺾는 것이기 때문이다. 순진한 기대 속에서 살아가는 것은 개인을 막연한 행복감에 젖게 해주지만, 취약하다. 용감한 개인은 진실을 마주하려고 한다. 나는 순진한 기대의 이런 취약성 때문에 순진한 기대를 지우고 올바른 기대를 받아들여야 한다고 생각한다. 누군가가 막연한 행복감에 취해서 살아가는 게 더 가치 있다고 할 수도 있다. 물론, 누군가에겐 옳을 수 있지만, 나는 순진한 기대가 아닌 올바른 이상향에 관한 이야기이다 살아가는 사람이 더 가치 있다고 생각한다.

인간관계

순진한 사람은 인간관계에서 배신이라는 개념을 알더라도 그것을 실제로 자신에게 일어날 수 있는 일이라고 생각하지 못한다. 특히, 자기가 매우 아끼고 사랑하는 사람조차도 자신을 해하려고 할 수도 있다는 것을 알지 못한다. 어쩌면 의도적으로 생각하지 않으려고 하는 것일 수도 있다. 하지만 그런 사람이라도 살다 보면 그것이 자신에게도 충분히 일어날 수 있는 일이며 심지어는 인간이 자기 생각보다, 혹은 바람대로, 선하지 않을 수 있다는 것을 알게 될 것이다. 이런 의혹을 온전히 마주하는 것은 누구에게나 힘들다. (나는 여기서 배신이란 단어를 누군가의 뒤통수를 치는 것의 의미로만 쓴 것이 아니다. 내가 신경 써준 만큼 돌아오지 않는 것 같은 사소한 일도 포함된다.) 하지만, 인간관계에서의 올바른 기대는 '누군가가 나를 배신할 수 있다'이다. 이렇게 진심으로 받아들이는 단계에서는 개인에게 냉소주의라는 큰 벽이 기다리고 있다. 하긴 어차피 또 배신당해서 상처받을 바에야 그냥 영영 마음을 닫는 게 현명한 처사가 아닌가? 나는 이런 사람들에게 연민이 생긴다. 그런 냉소적인 사람들도 사람들의 따스한 손길을 원하지만, 상처를 받고 또 상처받는 게 너무나 두려운 나머지 다른 사람들을 배척하는 것이기 때문이다. 대신에, 내가 생각하는 더 인격적으로 완성된 행동은 '사람들이 나를 배신할 수 있다는 것'을 알더라도 먼저 손을 내미는 것이다. 이는 상대방이 어떤 표정으로 받아주는 것과 상관없이 밝게 인사하는 것과 같은 사소한 행동들도 포함된다.

종종 정말 사람들을 따뜻하게 보고, 먼저 아는 척해주고, 먼저 웃으며 인사해주고, 누군가 자기에게 잘못했더라도 바로 그 사람 탓을 하기 전에 오해가 있지 않을까 하고 생각해보는 그런 부류의 사람들을 본다. 따뜻하고 밝은 에너지를 주변에 전해주는 그런 사람들 말이다. 나는 그런 사람들은 용감한 사람들이라고 본다. 분명 그런 사람들은 많이 관심을 쏟는 쪽이 상처 입기 쉬우므로, 상처를 받은 적이 살면서 많을 것이다. 그럼에도 먼저 다른 사람들에게 신뢰를 보내는 것은 자신이 상처를 받을 수도 있다는 것, 사람이 무조건 선하지 않을 수 있다는 것을 알고도 행하는 것이기 때문에 용감한 것이다.

반면에, 처음 보는 사람들에게 퉁명스럽게 대하고, 다른 사람이 나를 싫어할까 걱정하고, 사람들을 잘못 믿고, 화도 잘내고, 사람을 이용하는 그런 사람들도 보인다. 그런 사람들은 아까 내가 말한 순진한 기대에서 벗어났지만, 냉소주의에서 빠진 사람들이다. 나도 이런 냉소주의에 빠져있었던 것 같다. 나는 사람들에게 화를 잘내고 이용하고 퉁명스럽게 대하지는 않았지만, 사람들을 잘 못믿었던 것 같다. 이 냉소주의에서 벗어나기 위해서는 일단 자신이 냉소적이라는 것을 인지하고 그것에서 빠

지향하는 삶

져나가기 위해 노력해야하는 것 같다. 자신이 냉소적이라는 것은 인지하기가 어려울 수도 있다. 왜냐하면, 상대방을 안 믿는 것은 뜻밖에 사소한 것으로만 드러날 수도 있기 때문이다. 이를테면, 상대에게 어떤 일을 제안했을 때 혹시나 상대가 거절을 못 해서 마지못해 수락한 게 아닐까 하는 걱정도 상대방에 대한 불신으로부터 올 수도 있고, 정말 사소한 일로 상대와 틀어질까 염려하는 것도 상대방에 대한 불신에서 비롯되는 것일 수도 있다.

행복

나는 쾌락과 행복의 차이는 자신의 문제를 마주하느냐와 관련되어 있다고 생각한다. 대부분의 사람은 쾌락과 행복의 차이를 구분할 줄 안다. 쾌락은 즐겁지만 지속하면 공허하고 인생이 잘못되어 간다는 들지만, 행복은 충만해지고 오래가도 괜찮다. 이 둘을 구분할 수 있는 능력은 진화적으로 도움이 되기 때문에 남게 된 것인지 어떤 것인지는 몰라도 나는 이 능력이 거짓을 말하는 것 같지는 않다고 생각한다. 나는 쾌락을 지속적으로 추구했을때 느끼는 허무감이 진실이라고 생각한다. 쾌락은 삶의 문제를 일단 제쳐두고 당장의 즐거움으로 도피하는 것이기 때문이다. 그렇게 도피하기에 쾌락을 장기적으로 추구할 때 우리가 즐거움 속에서도 허무감과 공허감을 느끼는 게 아니겠느냐는 추측을 해본다. 장기적인 쾌락추구에서 생기는 허무감을 차치하고라도, 삶의 문제를 제쳐놓고 즐거움을 얻는다는 점에서 쾌락만 추구하는 것은 해로운 것 같다. 최악의 상황에 빠진 것은 정말 안타까운 일이다. 그것은 전혀 부정할 수 없고, 제3자가 이렇다저렇다 할 수도 없는 일이다. 그렇지만 확실한 건 최악의 상황이 마치 자신에게 찾아오지 않은 듯이 잊기 위해서 매일

술만 마시는 등 쾌락으로 도피하는 것은 도움이 되지 않는다. 그런 것은 문제를 마주하고 그 안에서 자기가 할 수 있는 일을 하는 것을 방해하기 때문이다. 대신에, 처한 상황을 마주하고 자신의 삶의 문제를 어떻게든 해결해보려고 할 때 비로소 행복에 가까워질 것으로 생각한다.

공평

도덕적인 측면과 성공적인 삶의 측면에서 세상이 공평하게 돌아가지 않을 수도 있다는 것을 받아들이기가 두려웠다. 나는 누가 알려주지도 않았는데도 어릴 적부터 비도덕적인 사람은 그에 맞는 불이익을 얻고 도덕적인 사람은 보상을 받는다는 것이 세상의 이치라고 믿었던 것 같다. 뭔가 그러한 보이지 않는 질서를 작용하는 힘이 없다고 생각하면 내가 폭풍우 치는 바다에 혼자 떠있는 그런 느낌이 들었기 때문이다. 그렇지만 생각보다 세상은 그런 식으로 작동하지는 않는 것 같다. 아무런 죄도 없는 사람이 죽을병에 걸려서 죽고, 사고 나서 불구가 되는 것과 같은 억울한 일들이 너무나 많다는 것만 보아도 그렇다. 그리고 다른 사람에게 나쁘게 해도 오히려 떵떵거리며 잘사는 그런 일도 많은 것을 보게 된다. 그렇다 할지라도 나는 최대한 도덕적인 삶을 살기 위해서 노력하고 싶다.

인생의 성공적인 측면에서도 마찬가지이다. 노력을 아무리 해도 되지 않을 수 있다. 그 이유는 천차만별이며 지능의 문제일 수도 있고, 환경의 문제일 수도 있고, 주변 사람들의 문제일 수도 있을 것이다. 노력의 문제가 아니라면 어떤 이유더라도 불공평하게 느껴진다. 내가 봤을 땐 노력도 마찬가지라고 본다. 재능이 너무나 뛰어나면 노력하기도 휠

씬 쉽기 때문이다. 어쨌거나 이렇게 모든 사람이 자신의 욕구를 채울 수 있는 세상이 존재하지 않는다는 것은 명백해 보인다. 그러하더라도 나는 삶을 너무 허무하게만 보려 하지 않는다. 나는 아무리 열심히 하더라도 안될수도있다는 것을 명백하게 인식을 하고 열심히 살 것이다. 열심히 산 그 과정이 눈에 보이는 결과로서 나타나지 않더라도 말이다.

감사

가진 것에 감사하라고 많이들 이야기하지만, 실천은 어려운 것 같다. 나도 마찬가지로 그랬고 어느 정도 나 스스로 불행을 자처했었다. 나한테도 감사하다는 생각이 깃든 건 균형 잡힌 시각으로 세계를 보면서부터이지 않았을까 한다. 보통은 자신이 가진 것이 눈에 안 들어오기 마련인데, 가지고 있는 것을 당연하지 않게 여기면서 현재 상황에 감사하다고 생각한다. 더 좋을 수도 있었겠지만, 안 좋을 수도 있었을 것이기 때문이다. 이 생각이 자칫하면 변질하여 남의 불행을 통해서 자신의 행복과 안도감을 채우는 쪽으로 될 수도 있지만, 나는 이것을 말하고자 하는 게 아니다. 오히려 타인이 처해있는 상황을 그들의 탓으로 돌리거나 나 자신과 전혀 상관없는 일이라고 생각하는 게 아닌, 타인의 상황이 내가 운이 없었다면 나에게도 일어났을 수도 있었겠다는 것을 인식하는 것이고, 인식으로 말미암아 타인에게 연민이나 공감의 시선을 줄 능력이 부여되는 것이다. 이는 단지 가난, 끔찍한 사고뿐만이 아니라 삶에 전방위적으로 적용할 수 있는 생각이다. 예를 들어, 나는 본인의 성취를 온전히 노력의 성과로 돌리며 본인과 비슷한 성취를 하지 못하는 사람들을 깔보는 사람들을 보았다. 개인적으로 나는 이건 매우 잘못된 생각이라고 생각한다. 그들이 노력한 것을 인정하지 않는 것이 아니다. 다만, 그들이 살아야 한다고 지능이 높지 않았다거나, 환경이 그들과 시너지효과를 내지 않았다거나, 타고나길 의지가 약하거나, 운이 없거나 등 살아야 한다고 조건속에서도 과연 그들이 성취할 수 있었을까에 대해서 생각해 봐야 한다고 생각한다. 그런 생각을 하다 보면, 자신이 가진 것에 감사하게 되고 또한 가지지 못한 이들에게 부채의식을 느끼거나 적어도 냉소나 비아냥은 안 보내게 될 것이다. 정물화의 그림자가 사물을 뚜렷하게 보이게 해주듯이, 어쩌면 나에게 생겼을 불행이 현재 없다는 것이 감사하게 한다. 또한, 재난상황에서 이기적으로 행동하는 사람들을 섣불리 비난하기 힘들 것이다. 자기가 그 윤리적인 판단을 내려야 하는 상황에 부닥쳐있지 않아서 감사할 것이다. 누구나 그 상황에서 이기적으로 행동할 수 있기 때문이다. 그렇게 된다면 이기적인 사람이 해악을 끼친 딱 그정도만 책임을 물고, 감정이 섞인 불필요한 비난은 사회에서 줄어들 것이다. 감정적인 비난은 해악을 낳을 수 있기 때문이다.

책임 (끝맺으며)

지금껏 내가 말한 내 이상향적인 삶은 책임감을 갖고 살아가는 것으로도 표현할 수 있는 것 같다. 올바른 기대를 하고도 냉소나 허무에 빠지지 않고 마땅히 해야 할 일을 하는 것이기 때문이다. 나는 내 삶을 책임감을 갖고 살아가는 것에 마음이 끌린다. 사람들이 나를 배신할 수 있는데도 사람들을 신뢰해야하며, 문제를 내버려두지 않고 해결하려고 해야 하며, 어차피 노력해도 안될 수도 있는데 노력해야 한다는 생각이 왜 내 마음이 끌리는지 모르겠다. 그게 과연 나한테 이득이 되는 것일까? 나는 이렇게 살아야 하는 이유를 사회학, 종교, 생물학, 심리학 등 인간 이성의 산물들에서 찾아보기도 했다. 그래야 내가 이성적으로 이해가 되고 덜 불안할 것 같아서이다. 내가 애쓰는 게 다 의미가 있는 일이라는 것을 증명해내고 싶었다. 그런데도 아직까진 결정적으로 이게 정답이라는 증거를 발견하지 못했고 앞으로도 그럴 수도 있을 것 같다. 하지만 나에게 이유는 모르지만 그렇게 살고 싶다는 마음이 주어져 있고, 그게 나에게 맞는 답일 것이라는 묘한 확신이 든다. 어쩌면 이유를 찾으려는 것 자체가 이성의 오만함일지도 모르겠다. 이성으로는 답을 내릴 수 없는, 인간 이성을 초월한 것일 수도 있지 않을까. 그래서 우선은 마음이 끌리는 대로 살아가려고 한다.

김보영

정의되지 않는 사람

1

학창 시절 수학을 좋아했다. 문학과는 다르게 풀이 과정을 일목요연하게 정리하면서 내려다가 보면 정답이 똑 떨어지게 나오기 때문이다. 풀다 보면 당연히 막히는 부분이 생길 때가 있지만 조금 다르게 생각해서 풀면 결국 정답이라는 목적지가 나왔다. 명확한 답이 있어서 수학을 좋아했지만, 나의 심기를 건드리는 예외가 있었다.

Undefined '한정되지 않은' '확실하지 않은' '정의되지 않은'이라는 뜻을 가진 형용사다. 확실하지 않다. 정의되지 않는다. 사전적 의미에서부터 벌써 나를 불편하게 만든다. 함수에서 'undefined'라는 개념을 마주했다. 함수 f(x)를 undefined로 만드는 x의 값을 구하는 문제가 내가 기억하는 기본적인 예시인데(수학의 미를 보여줄 수 있는 더 멋진 예시가 생각나면 좋겠지만, 수학을 손 놓은 지 오래라 안타깝다), 분모를 0으로 만드는 x값을 구하면 되는 것으로 기억한다. 나는 분모를 0으로 만들어 연산할 수 없는 undefined 상태를 만드는 문제 자체가 마음에 들지 않았다.

DNE 혹은 Does not exist(존재하지 않는다). 함수와 비슷하게 극한에서도 극한값이 존재하지 않을 때 정답 칸에 'Do not exist'의 약자인 'DNE'를 적었다. 열심히 풀었는데 ∴ (그러므로 기호) 옆에 'DNE'를 쓰고 동그라미를 치는 기분은 영 꺼림칙하지 않을 수 없었다. 그렇게 'undefined'와 'DNE'는 나에게 불명확하고 불분명한 인상을 남겼다.

정의되지 않는 사람

여러 해가 지난 후 지인의 추천을 받아 새로운 학술 모임에 나갔다. 명단에 있는 내 이름을 확인하고 이름표를 찾는데 내 것에만 특이점이 있었다. 사회가 붙여준 타이틀부터 직업적인 타이틀까지. 모두가 지금껏 열심히 살아온 자신을 자랑스러워하듯 이름과 함께 타이틀을 드러냈다. 김보영. 그러나 나는 내 이름 석 자만 덩그러니 인쇄되어 있었다. '헙' 당황했지만 이내 숨을 깊게 마시고 이름표를 집어내 왼쪽 가슴에 달았다.

OOO 대학생 OOO 직원.

나는 왜 아무것도 없을까?

나는 왜 이름만 적힌 이름표를 보고 불편할까?

이방인으로 살았기 때문이다. 그렇다. 나는 13년 차 이방인이다. 미국에서 사는 동안 그리고 한국으로 돌아와 취업을 준비하는 현재까지도. 미국에서 살 때는 남들이 나를 다른 나라에서 온 외국인으로 보는 게 싫었다. 온전히 흡수되길 원했기에 그들의 문화를 배우고 따라 했다. 그러나 언어적인 한계, 외국인이라는 신분에서 생기는 제도적인 문제 등에 부딪칠 때마다 주류 사회의 가념에서 여전히 홀로 맴도는 이방인 같았다. 한국에 돌아와서는 조심해야 했다. 유학 경험이 모두에게 긍정적인 인상을 주는 것은 아니기 때문이다. 한국인으로 태어나 반평생을 내 나라에서 자랐는데 한국인도 아니고 교포도 아닌 애매한 사람이 되어버렸다. 혼란스러웠다. 그리고 한국에서의 삶이 다시 익숙해질 때쯤 어느 한 회사에 소속돼 '평범한 회사원'이라는 새로운 정체성이 생길 줄 알았는데 여전히 어디에도 소속되지 않은 상태이다.

이도 저도 아닌 명확하지 않은 것이 싫어서 'undefined'라는 단어를 싫어했는데, 난 어느 한 곳에 완전히 속하지 못한 채 '정의되지 않은 사

람'으로 살고 있다. 그래서 왼쪽 가슴에는 내 이름과 함께 남들에게는
보이지 않는 이방인이란 타이틀이 자리한다.

2

한국에서 초등학교, 중학교에 다닐 때는 맏이로의 역할을 충실히 하
기 위해 노력했다. 부모님의 생각도 들어봐야겠지만, 적어도 맞벌이하
는 부모님을 걱정시키는 행동은 하지 않으려고 했다. 그렇게 평범하게
학생의 본분을 지키던 중, 중학교 2학년 때 처음으로 미국을 놀러 갔다.
정말 감사하게도 초등학교 때부터 부모님은 나와 동생에게 해외여행을
갈 기회가 있으면 보냈다. 우리 남매가 더 넓은 세상을 보고 배우길 원
하셨기에 본인들은 밤낮없이 일하면서 자식들을 위해 자신들의 젊음을
바쳤다.

처음 미국에 가게 된 계기는 친척 언니의 졸업식이었다. 언니는 뉴욕
에서 디자인 스쿨을 다니고 있었는데, 졸업식을 보러 고모가 미국에 간
다고 하자 엄마는 동생과 나를 데리고 가라고 부탁했다. 현장 체험학습
신청서를 작성하고 학교에서 가도 된다는 허가가 떨어졌지만, 동생은
불허됐다. 왜 안 됐는지 정확한 이유는 기억나지 않는다. 동생은 미국과
인연이 없는 건지 그 후로 미국에 갈 기회가 있으면 항상 가지 못했다.

다쳐서 수술하거나 시험 기간과 겹치거나. 동생 몫까지 내가 다 누린 것 같아서 마음속에는 동생에 대한 미안함이 항상 자리 잡고 있다.

'I want to be a part of it. New York New York! (난 이곳의 일부가 되고 싶어. 뉴욕 말이야!)' 그렇게 고모와 둘이 도착한 뉴욕은 입이 벌어질 만큼 어마하게 크고 놀라운 세상이었다. 뉴욕 JFK 공항에 도착하자마자 풍기던 들척지근한 냄새(미국 내 여러 공항을 다녀봤지만, 뉴욕은 특유의 냄새가 있다!), 언니가 학생증을 찍고 들어갔던 Pratt Institute 건물들, 공원 벤치에 앉아 샌드위치를 먹다가도 청설모에게 빵부스러기를 주는 사람들, 길거리에 즐비한 프렛즐을 파는 푸드 트럭, 잔디밭에서 맨발로 뛰어다니는 세네 살배기 아기와 모여서 수다 꽃을 피우는 내니들, 전화가 잘 터지지 않는 무너질 것 같은 뉴욕 지하철, 무슨 말인지는 모르지만 며칠 동안 ABBA의 노래를 흥얼거릴 정도로 전율이 흘렀던 브로드웨이 쇼, 모자를 쓴 것 같은 광고판을 단 뉴욕의 노란 택시, 택시를 타고 언니 아파트까지 오면서 보던 브루클린 브리지까지. 한 문단을 할애하면서까지 뉴욕을 묘사할 만큼 나는 미국을 동경했다. 물론 지금도. 모든 것이 서울과는 다르고 이국적이었다. 부모님이 그렇게 보여주고 싶었던 세상이 바로 여기라고 생각했다.

친척 언니 졸업식을 다녀온 후 얼마 지나지 않아 고등학교를 지원할 때가 왔다. 당시에는 '뺑뺑이를 돌린다'라는 말을 했는데, 진학하고자 하는 학교를 1지망부터 3지망까지 적어 제출하면 됐다. 하지만 엄마 몰래 적은 3지망 학교마저 떨어졌고, 더 나은 교육환경보다는 일탈 학생들을 개선하는 일에 힘쓰고 있는 학교를 배정받았다. 친구들과 같은 학교를 가지 못한다는 속상함과 원하지 않은 학교를 간다는 실망감이 나의 눈물샘을 자극했다. 세상의 온갖 불합리한 일을 당한 사람처럼 우는 나를 보고 친할머니는 무슨 일이냐고 물어봤다. 잠깐 우리 할머니에 대해 설명하자면, 할머니는 나와 남동생을 끔찍이 아끼셨지만 '남자는 진짜, 여자는 가짜!' '여자는 그저 고등학교 졸업해서 곱게 시집가면 돼!'라고 나에게 주입했던 남아선호사상이 뿌리 깊게 박힌 옛날 사람이다. 그런 할머니마저도 배정된 학교에 못 보내겠다고 했고, 부모님이 미국으로 보내야겠다고 하자 허락했다.

'앗싸!!!' 미국 유학이 결정됐을 때 내 마음은 이미 한국을 떠난 지 오래였다. 가족과 떨어진다는 아쉬움과 외로움, 학업의 어려움 등의 고민은 안중에 없었다. 필요한 절차를 마치고 미국 뉴욕주(州) 로체스터(Rochester)의 한 사립 여학교 합격통지서를 받았다. 홈스테이를 선택할 수 있지만 나는 친지들이 근처에 살고 있으므로 이모할머니 집에서 지내기로 했다. 그렇게 순탄하게 준비를 마치고 친할머니 손을 잡고 로체스터행 비행기에 몸을 실었다.

3

'Oh my Lord! (오, 주여!)' 미국에서 고등학교에 다니는 4년은 방학을 기다리며 한국에 갈 날을 기다리며 하루하루 달력에 X자를 표시할 만큼 외롭고 힘들었다(미국은 초등학교 5년, 중학교 3년, 고등학교 4년을 다닌다). 여행에서 느낀 황홀한 감정은 온데간데없었다.

한국 학교의 개학일이 보통 삼일절 다음 날인 것처럼 미국에서도 9월의 첫 월요일인 'Labor Day(근로자의 날)' 다음날 학교가 개학한다. 스쿨버스 타고 통학하는 기분은 어떨지 미국 학교는 어떨지 설레는 마음으로 친할머니가 반듯하게 다려주신 교복을 보고 잠이 들었다.

새벽 6시 반. 오전 8시 20분까지 등교지만 집 근처 공립학교에서 우리 학교로 가는 버스로 갈아타야 하므로 공립학교 등교 시간에 맞춰 준비해야 했다. 다른 친구들은 집 앞 드라이브 웨이에서 버스가 픽업하지만, 나는 집에서 5분 정도 떨어진 곳에서 버스를 기다렸다. 5분이지만 아무것도 보이지 않는 곳을 혼자 걸어가는 그 시간은 공포였다. 새벽이나 밤에 걸어 다니는 사람이 거의 없을뿐더러 미국에는 큰 길가가 아니면 가로등을 보기 힘들다. 현관문에 달린 작은 램프들이 발산하는 빛이 전부다. 어둠에 대한 공포감은 11월에 서머타임이 끝나면 극대화됐다. 서머타임 때 앞당겨졌던 1시간이 다시 돌아가기 때문에 겨울 동안의 새벽은 더 칠흑 같았다. 친할머니는 '나야 가시네 어두운데 가는 거 지켜봐야 한다'며 미국에 계실 동안 매일 문 앞에서 내가 보이지 않을 때까지 서있었다. 할머니가 한국으로 돌아가고 난 후에는 휴대전화 플래시를 의존한 채 사방을 비추며 걸어갔다. 혹시라도 야생동물이랑 마주칠까 있는 힘껏 발을 쿵쿵거렸다(농담처럼 들리겠지만 뿔 달린 사슴부터 라쿤, 토끼, 다람쥐, 여우, 황소개구리 등등 다 튀어나오는 현실판 주토피아다). 바람에 나무라도 흔들리면 깜짝 놀라 벌벌 떨면서 뛰어갔다.

삼거리 스톱 표지판 앞에서 기다리면 버스가 요란한 소리를 내며 멈췄다. 이른 아침이라 버스 안은 고요했고 빈자리를 찾아 뒤쪽으로 걸어갔다. 동양인이 없는 동네는 아니지만 누가 봐도 '갓 미국에 온 동양인' 이미지 풀풀 풍기는 나를 외국 애들이 흘끗 보는 시선이 느껴졌다(내가 경험한 미국인들은 중국인, 한국인, 일본인을 구별하지 못하고 세 민족을 통틀어 Asian이라고 부르는 경향이 있다). 지나가면서 어제저녁에 먹은 한식 때문에 한국인 냄새가 난 걸까 바짝 긴장했다.

'Welcome back! (돌아온 걸 환영해!)' 'How was your summer? (방학 잘 보냈어?)' 공립학교에서 내려 학생 무리와 함께 휩쓸리듯이 건물 안으로 들어갔다. 우리 학교로 가는 두 번째 버스가 오는 곳을 알아야 하는데, 도대체 알려주는 사람 하나 없고 사람들은 각자 자기 갈 길 가거나 긴 여름방학이 끝나고 다시 만나서 반갑다며 떠들기에 바빴다. 버스를 놓칠세라 동동거리다 외국인들 사이로 같은 교복을 입은 학생들 다섯 명 정도를 발견했다. 조용히 가 그들과 합류했다. 그들은 서로 아는 눈치였다. 우리 학교는 재단에서 중학교를 소유하고 있어 중학교 때부터 같은 학교에 다니며 동고동락한 친구들이 많다. 그들도 그랬다. 서로 반갑다며 웃고 떠들고 있었지만 나에게 관심을 주지 않았고 나도 먼저 다가가서 인사할 용기가 나지 않았다. 그들에게 나는 '낯선 동양인'이었고 그들도 나에게 똑같은 '낯선 백인'이었다.

개학 첫날 유학생은 homeroom(조회하는 교실)이 아닌 다른 교실에서 모였다. 그곳에서 유학생 담당 코디네이터가 일주일에 한 시간씩 ESOL(English for Speakers of Other Languages) 즉, 영어권 화자가 아닌 국제 학생들을 위한 영어 수업을 했다. 수업 명은 거창하지만, 수다를 떨거나 숙제하는 자습 시간이었다. 열 명 남짓의 유학생이 있었고, 나와 태국인 친구를 제외하곤 모두 중국에서 온 학생들이었다. 선생님은 구내식당 이용 등 학교생활에 대해 알려줬다. 그녀는 말끝마다 '이해가 되니?'라고 물으면서 눈을 크게 뜨고 웃었다. 나는 100% 알아듣지는 못했지만 '백인들은 원래 저렇게 무섭게 웃나?' 생각하며 알아들었다는 시늉을 했다('이해가 되니'라는 말을 우리가 흔히 아는 동사 'understand'를 사용해 'do you understand it?'라고 친절하게 말할 것 같지만 'make sense?'라는 말을 현지인들은 더 많이 한다. 그 당시에 나는 몰랐고 '왜 자꾸 감각을 만들라고 심지어는 물어보는 거야'라는 식의 전혀 다른 해석을 했다). 중국인 친구들은 다 알아들었는지는 모르겠으나, 중간중간 자기들끼리 중국어로 신나게 얘기하고 있었다.

4

'I'm sorry? (네?)' 영어를 잘 알아듣지도 못하겠고 입 밖으로는 더더욱 나올 기미가 안 보였다. 현지 영어는 학원 월말시험에 있던 듣기 평가, 자기 전에 들었던 영어책 CD와는 차원이 달랐다. 사교육에 많은 투자를 한 부모님께 참 죄송스러운 순간이었다. 미국은 멜팅팟(melting pot)이라는 단어가 가장 잘 어울리는 나라답게 세계 각국에서 온 이민자들이 모인 곳이다. 그래서 모두가 고유의 억양(accent)을 가지고 있고, 이 억양에 온 신경을 다 집중해야만 상대방이 무슨 말을 하는지 알아들을 수 있다. 나는 억양이 섞인 현지 영어에 속수무책으로 당해 겁을 먹어버렸다. 특히 흑인과 동남아시아인의 억양을 알아듣는 데 애를 많이 먹었고 나 자신이 답답했다.

우리 학교에는 태국에서 이민 온 학생과 유학생이 각각 한 명씩 있었는데, 이민 온 친구의 이야기가 당장 영화로 나와도 될 만큼 놀라웠다. 개학하고 얼마 지나지 않아 ESOL 시간에 자기소개를 할 때였다. 다들 어디서 왔고 뭘 좋아하는지 평범한 소개를 이어 나가는 데 Tharinee가 자신은 다른 이유로 미국에 왔다고 말문을 뗐다. 어릴 적 불운의 선박 사고로 친할아버지가 아들과 아내를 잃게 됐고 홀로 미국에 오게 됐는데, 우연히 태국 고향 마을에 갔다가 아내와 닮은 아이를 봤고 물어보니 아들만 살아남아 가정을 꾸려 살고 있었다. 힘들게 살고 있는 아들 내외를 보고 손녀를 먼저 미국에 데려왔다. 쓰면서도 믿기 어려운 이야기를 그 당시에 독특한 태국 억양 때문에 몇 단어밖에 듣지 못했는데, 감사하게도 선생님이 요약해 준 덕분에 한참을 입을 벌리고 '정말? 믿을 수 없어'라는 말만 반복했다.

그리고 흑인 영어. 흑인 영어와 관련해서는 에피소드가 정말 많다. 이모할머니는 다운타운에서 브런치 식당을 했는데 주 손님이 흑인이었다. 미국 전역에서 살아보지 않아서 일반화시키기가 조심스럽지만, 뉴욕과 LA 등 대도시에는 여러 인종이 산다. 반면, 내가 살았던 로체스터 같은 중소 규모 지역의 다운타운에는 흑인들이 많이 산다. 그래서 외곽과는 풍경과 분위기가 다르다. 이모할머니는 음식 솜씨가 좋아서 식당이 잘됐다. 주말에는 더 바빠서 일손이 필요했고, 마땅한 사람이 없나 고민하다 나에게 파트타임을 제안했다. 듣고 계시던 외숙모 할머니는 어린애가(그때 내 나이는 만 15세였다) 위험하다 절대 안 된다며 반대했다(인근 범죄 소식도 그렇고 학업에 지장이 갈지 걱정했던 것 같다). 할머니가 계시는데 설마 총기 사고니 뭐니(항상 말은 조심해야 한다. 실제로 총기 사고를 종종 경험했

다) 누가 해코지할 일이 있을까 싶어 힘들면 못 한다고 해야지 생각하고 이모할머니와 몰래 딜을 했다.

　새벽 6시에 출근해 할머니와 영업 준비를 하고 7시에 가게를 열자마자 손님들이 몰려 들어왔다. 영어를 못해도 주문서에 주문할 음식을 표시해달라고 볼펜을 주고 커피만 내어주면 될 줄 알았는데, 천만의 말씀. 음식 컴플레인부터 포장 요구까지. 제일 괴로운 건 전화 주문을 받는 것이었다. 할머니는 요리를 하면서 전화까지 받기 힘들어 나한테 전화 주문을 맡겼는데, 이건 무슨 꼬부랑말인지! 정말 하나도 알아들을 수가 없었다. 웅얼거리는 것 같았다. 전화영어 할 때처럼 주변이 조용하면 조금이라도 더 잘 들렸을 텐데… 실전은 역시 변수 천지다. 'Mama Kim's. What can I get for you? (마마 킴입니다. 주문하시겠어요?)' 말하는 것까진 성공이었는데, 알 수 없는 억양의 공격에 혼미해졌고 '네?'라고 하기도 전에 상대방은 주문을 마치자마자 전화를 끊었다. 머리가 하얘졌다. 할머니는 손을 뻗어 'ticket! ticket!'을 외치고 있었다. 나는 수화기만 들고 어떻게 해야 할지 몰라 서있었고 결국 못 들었다고 하자 꾸중을 들었다. 첫 번째 전화주문을 놓친 후 가진 청각을 최대한 사용해 들어보려고 노력했지만, 하루 만에 귀가 탁 트이는 건 불가능했다. '영어의 벽이 이렇게 높은가' 바보가 된 기분이었고 허탈했다.

　전화 통화는 어나더레벨이었다. 다른 언어로 통화를 한다는 게 그렇게 긴장될 수 없었고 전화 공포증까지 생길 지경이었다. 하루는 온라인 주문에 문의하고자 전화를 걸었다. 알아듣기 위해 최대한 조용한 환경을 만들고 상대방에게 할 말을 머릿속으로 만들어 되새기고 있었다(지금도 전화하기 전에 할 말을 미리 영어로 바꾼다). '잠시만 기다려주세요. 가능한 상담사와 연결 대기 중입니다. 고객님과의 대화는 녹음됩니다'라고 말하는 AI 음성과 함께 콩닥거리는 심장 소리가 들렸다. 전화 상담사 중에는 히스패닉 사람이 많은데 억양을 들어보니 히스패닉 상담사와 연결된 것 같았다. 나는 머릿속에서 만든 문장들을 그대로 말했고 상대방의 답변을 기다렸다. 근데 글쎄 알아듣지 못했단다! 당황해서 '선물 포장 옵션을 선택하지 않는데 청구가 됐고 상품은 선물 포장돼서 오지 않았어요'라고 다시 말했다. 이번에는 더 퉁명한 말이 돌아왔다. '당신 억양 때문에 알아듣지 못하겠어요' 원래 성깔 있는 성격이라 '당신도 히스패닉이고 나도 코리안이라 우리 다 억양이 있어요. 나도 당신 억양 때문에 알아듣지 못하겠어요. 무례한 거 아닌가요? 매니저한테 당장 얘기하겠어요! 당신 이름 대요!'라고 퍼붓고 싶었지만 '나도 당신 못 알아듣겠어요!'만 쏘아붙이고 끊었다. 이 사건 이후로 항의할 상황이 생기면 쌈닭이 됐다.

여러 억양이 섞인 현지 영어를 못 알아듣는 것도 문제지만 누군가가 내 억양을 못 알아듣는 것도 문제였다. '바닐라', '헤이즐넛', '시럽' 발음을 못 해 매번 커피숍에서 아이스 아메리카노만 시키기 일쑤였다. 용기를 내 상대에게 말을 걸었지만 'What's that? (뭐라고요?)' 'I'm sorry I don't know what you're saying (죄송한데 무슨 말 하는지 모르겠어요)'라는 말이 돌아오거나 무슨 소리인지 모르겠다는 표정을 볼 때가 가장 견디기 힘들고 자존심 상했다. 지금도 상대가 'yeah (응)'라고 반응하면 내 말이 제대로 전달이 되지 않았을까 봐 불안하다.

처음에는 발음에 집착했다. 발음이 좋으면 문법이 이상해도 알아듣겠지 생각해서 수업 시간에 내가 알던 발음과 다른 단어의 발음은 노트 구석에 모조리 적었다. 그리고 자주 들리는 문장도 적었다.

'clingy 클링이'

'Napoleon 나폴리언'

'Indianapolis 인디어나퍼리스'

'ravioli 뤠비올리'

'supposed to (~해야만 한다)'

'Are you serious? (진짜야?)'

'What's going on? (무슨 일이야?)'

이렇게 노트 한편에는 수업 시간에 적은 필기 외에도 영어 공부의 흔적이 있었다. 한국어에는 없는 'r', 'q', 'z' 발음이 특히 어려웠는데, 'quote', 'quotation mark', 'early' 같은 단어들이 발음하기 어려웠다. 'LauraAnne', 'Aurora', 'Zoe'라는 이름을 가진 친구를 부를 때는 혀가 작동하길 포기한 듯 발음이 안 돼 'Hey!'라고 소심하게 외쳤다.

5

이대로 가다간 영영 영어의 문턱을 넘지 못할 것 같았다. 그리고 바뀐 환경에 소극적으로 학교생활을 하다 보니 친구도 없었다. 가족과 상의 끝에 홈스테이를 하기로 했다. 나는 서운해하는 이모할머니에게 인사를 하고 Sunny네 집으로 이사를 갔다.

Sunny Pechulis. Sunny는 내가 입학한 해에 새로 전학을 온 금발의

백인 친구였다. 세계사 수업을 같이 들으면서 먼저 말을 걸어왔다. 자신의 친가는 폴란드 외가는 아일랜드에서 이민 왔다고 하면서 역사책을 가져와 친절하게 지도를 보여주면서 설명했다. 그녀는 Sunny라는 이름 그대로 밝고 다정했고 내가 홈스테이를 할지 고민중이라니까 자신의 집으로 오라며 부모님께 물어보겠다고 했다. 그렇게 학교의 허가를 받은 후 Pechulis 가족의 식구가 됐다.

Pechulis 집에는 아빠 Paul, 엄마 Colleen, 외동딸 Sunny, 그리고 셰퍼드 두 마리 Henry, Beatrice와 믹스견 Piggy가 살았다(나는 Sunny 부모님을 Dad, Mom이라고 불렀다). 홈스테이를 하면 미국의 문화뿐만 아니라 한 가정의 문화에 적응해야 한다. 결혼과 다를 바 없다고 생각한다. 한평생 다른 환경에서 자란 두 가정이 만나 융화되는 과정이기 때문이다. 그러나 안타깝게도 그 당시 나는 어리고 미성숙해 융화 과정에서 겪는 갈등을 회피했고 자신을 고립시켰다. 이방인 정체성을 버리고 싶어서 홈스테이를 선택했지만 계속 이방인으로 지내길 자처했다.

한국에서는 방과후 학원을 가고 숙제를 마치고 잠을 자는 루틴이 당연했다. 그래서 미국에서도 같은 루틴을 고집했지만, 좋은 성적을 받아 좋은 대학을 가는 한국 주입식 교육의 목표를 Mom은 이해하지 못했다. 미국은 한국처럼 사교육 시장이 발달해 있지 않다. 이 부분도 일반화시키기에 조심스러운데 미국 학생들은 방과후 소속된 교내 스포츠팀에서 훈련하거나 동아리 활동을 하거나 그렇지 않으면 집에 가서 각자 할 일을 하면서 시간을 보낸다. 새벽에 일찍 일어나 학교를 가는 나는 집에 돌아오면 피곤해 잠깐 낮잠을 자고 저녁을 먹은 다음 숙제와 시험공부를 하러 방으로 올라갔다. 저녁을 먹으면서 식구들과 얘기하고 거실에서 같이 TV를 봤지만, 나는 공부를 우선시했다. 오히려 집중력 결핍이

정의되지 않는 사람

있다고 하면서 방바닥에서 휴대전화를 보며 숙제하는 Sunny와 그녀를 보고도 아무 잔소리를 하지 않는 Dad와 Mom이 신기했다.

공부에 대한 이견이 가장 심했던 적이 있었다. 기말고사 기간이었고 화학 시험이 있던 날이었다. 화학을 좋아했고 중간고사 성적도 잘 나왔던 터라 긴장이 되면서도 내심 기대하고 있었다. 그런데 아뿔싸... 며칠 전부터 몸이 안 좋은 것 같더니 몸살에 걸려버렸고 어린이용 NyQuil(시럽 감기약)을 먹었지만, 시험 당일에도 일어날 수가 없었다. Mom은 결석하는 게 좋을 것 같다고 했지만 나는 무조건 화학 시험을 봐야 한다고 고집했고 조금만 더 자면 나을 것 같으니, 아침에 학교에 데려다 달라고 부탁했다. 사실 Mom이 학교에 전화해 화학 시험을 미룰 수 있는지 물어봐 줄 수도 있었다. 그러나 '아파도 학교는 무조건 가야 한다'라는 우리 엄마의 교육 방침에 따라 자란 나는 시험 그것도 기말고사를 미룬다는 것은 절대로 있을 수 없는 일이고 가능한 건지도 몰랐다. Mom은 차 안에서 나를 절대로 이해 못 하겠다고 쏘아붙였고, 나는 학교에 도착할 때까지 가만히 듣고 있었다.

'이까짓 라이드가 뭐라고! Sunny는 다 데려다주면서 나는 안 된다고 하는 거지?' 대도시에서 살지 않는 이상 미국에서는 차가 없으면 이동이 거의 불가능하기에 발이 자유로웠던 한국에서와 달리 라이드를 구하는 게 큰 문제였다. 어디를 가고 싶으면 Mom이 운전을 해줘야 하는데, Mom은 라이드가 필요하면 일주일 전에 무조건 달력에 적어두라고 했다. 그렇지 않으면 Mom과 Sunny의 스케줄과 겹쳐 해줄 수 없다고 했다. 미리 일주일 치 계획을 세워둘 수 있으면 참 좋겠지만, 사람이 어떻게 요일별로 어디를 갈지 일주일 전에 미리 알고 정리해 두겠나. 미국 친구들과 친하게 지내고 싶고 나도 밖에서 놀고 싶었기 때문에 근처 대형 쇼핑몰이나 카페, 레스토랑에 가고 싶었다. 그러나 Mom은 완고했고 그녀가 정한 규칙은 무조건 지켜야 했다.

서로 다른 음식 문화 차이도 쉽게 좁혀지지 않았다. Sunny는 자신의 가족은 plain dish(평범한 음식)를 먹는다고 얘기했고, 동양 음식에 대해 호의적으로 생각한다고 했다. 그때까지만 해도 평범한 음식이 닭가슴살을 의미하는지 한국 음식을 낯설어하는지 예상하지 못했다. Pechulis 가족은 음식 알레르기가 많았다. 'gluten free (글루텐 프리)', 'lactose intolerance (유당분해효소결핍증)', 'food coloring allergy (색소 알레르기)' 등등. 미국에서 살아본 경험이 있는 사람들은 이해할 것이다. 미국인들은 별의별 알레르기를 다 가지고 있는 것 같다는 생각이 들 때가 많다. 소고기도 중량을 맞춰 먹을 정도로 Pechulis 가족은 음식에 예민했기에 저녁은 주로 닭가슴살과 파스타였다. 며칠간은 닭가슴살이 입에 안 맞아 한 덩어리만 먹었더니 밤에 공부하면서 허기가 졌다. 그래서 식구들이 깰까 조심히 주방으로 내려가 간식거리를 들고 방에 와서 먹었다. 문제는 Henry였다. 서랍에 과자를 두면 어떻게 냄새를 맡았는지 서랍을 열어 내 침대 위에서 포장지를 까먹었고 Mom한테 꾸중을 듣기 십상이었다(셰퍼드라 그런지 방문도 두 발로 열고 굉장히 지능적인 개였다). 그리고 Mom은 잠귀가 밝고 예민한 성격이라 내가 간식을 가지러 주방으로 내려가면 꼭 다음 날 아침에 잠을 못 자서 피곤하다고 돌려 말하곤 했다.

내가 가장 이해할 수 없었던 밥상 문화는 라면을 먹을 때 자연스럽게 나는 '후루룩' 소리였다. Sunny네 집에서는 '후루룩 금지령'이 떨어졌다. 어느 날 간식으로 컵라면을 먹고 있었는데 나도 모르게 후루룩 소리가 났나 보다. Mom이 면을 먹을 때 후루룩 소리를 내는 건 무례한 행동이라고 했다. 그 뒤로 면을 먹을 때는 소리가 나지 않도록 더 조심했다.

Sunny네 집에 살면서 한 달에 한 번 이상은 할머니 할아버지한테 놀러 갔다. 할머니 할아버지한테 마음껏 재롱부리고 맛있는 한국 음식도 먹었다. 되도록 냄새나는 음식을 먹지 않으려고 했지만 나에게 풍겼던 고소한 기름과 양념 냄새는 어쩔 수 없었나 보다. Sunny는 잘 다녀왔냐고 안아주면서 나에게 한국 음식 냄새가 난다고 했다. 나쁜 의도는 아니었겠지만, 한국 냄새가 난다는 게 창피했다. 학교에서도 냄새가 날까 봐 향수를 꼭 뿌리고 등교했다.

읽다 보면 궁금할 것이다. Sunny네 집에서 학대받은 게 아니냐고. 학대를 당한 건 아니다. 절대로. Sunny네 집에서 지낸 첫 1년은 웃는 날들의 연속이었다. Sunny 덕분에 미국 문화도 많이 배웠고, 그녀의 친가와 외가 식구들도 나를 가족처럼 대해주셨다. 사이가 급격히 나빠진 건 Mom이 아프고 난 이후부터였다. 그녀가 갑상샘암에 걸려 항암치료를 시작하고 가족 모두가 예민해졌다. 나는 한국에 전화해 달라진 집안 분위기에 대해 불평했고, 엄마는 '아프면 아무것도 하기가 싫어. 네가 참고 이해해야 해'라고만 했다. 새로운 삶에 적응하기도 버거웠던 나는 남을 이해하고 배려할 여유가 전혀 없었다. 그러니 엄마가 여러 번 타이르고 가르쳐도 내 불평불만만 할 뿐이었다. 내 뜻대로 되지 않자 그나마 조금 열렸던 마음의 문이 닫히기 시작했고 자신을 고립시키는 지경에 이르렀다. Mom에 오늘은 몸이 어떠냐고 물어보는 대신 상황을 회피하고 싶어 내 방에서 혼자 있는 시간이 길어졌다.

조금 성숙해진 지금 생각하면 생판 남인 외국인과 같이 지낼 결정을 한 Pechulis 가족이 대단하다고 생각한다. 만약 내 자녀가 같은 학교 외국 학생이 홈스테이를 구하는데 우리 집에서 지내면 안 되겠냐고 물어본다면 자식의 부탁이어도 선뜻 허락하지 못할 것 같다. 그리고 많이 보고 싶다. 대학교 친구가 겨울방학 때 홈스테이했던 집에 놀러 간다고 얘기했다. Pechulis 가족을 생각하지 않을 수가 없었다. Sunny에 안부차 장문의 이메일을 보낸 적이 있지만, 로체스터에 갈 때마다 직접 찾아갈 용기가 나지 않았다. 당시 나의 미성숙한 행동이 떠올라 수치스러웠다. 내가 성숙해서 Pechulis 가족을 이해하려고 노력했다면, 방문을 닫아버리지 않고 조금이라도 열어두었으면 나도 대학교 친구처럼 방학 때 그 집을 갈 수 있지 않았을까. 크리스마스트리랑 참 잘 어울렸던 와인색 쇼파에 다 같이 앉아 Mom이 손수 만들어주었던 사진첩을 보며 옛날이야기를 하고 있지 않았을까. 집 구석구석 잊어버리지 않고 다 생각날 정도로 그립다. Boyoung Pechulis라고 이름을 불러줄 정도로 나를 딸로 생각해 준 그들의 진심을 항상 기억하고 미안해하고 감사할 것이다.

6

대학에서는 소중한 인생 친구들을 만나 소소하고 행복한 학교 생활을 이어 나갔다. 그러다 대학교 2학년 여름 쿼터를 마치고 (우리 학교는 학기제가 아니라 분기제다) 내가 휴학하게 되면서 친구들과는 잠시 이별하게 됐다.

휴학 신청을 하고 한국에 돌아왔다. 나는 유학생활을 한 이후로는 비행기에서 내려 입국 심사를 하러 내국인 라인으로 걸어갈 때마다 '드디어 내 나라에 왔구나. 난 이제 내국인으로서 보호받을 수 있구나' 안심하게 된다. 대한민국이 세계 강국이고 각국에 외교공관이 있어 무슨 일이 생기면 도움을 받을 수 있지만, 타지 생활을 하면 내 나라 같지 않아 불편한 것도 많고 조마조마한 일도 많다.

일단 행정절차에 있어 외국인은 더 복잡하고 번거롭다. 한국을 가거나 여행 목적으로 외국을 가게 되면 가기 전에 교내 국제학생지원센터에 가서 I-20(유학생 입학허가서)에 서명받아야 한다. 그래서 I-20은 개인적으로 비자 다음으로 중요한 서류라고 생각한다. 특히 입국 심사 시 공무원이 검토할 수도 있어서 원본을 가지고 있어야 하는데, 원본이 없어 크게 고생했던 적이 있다. 고등학교 입학을 앞두고 미국으로 출국하는 당일. 시카고행 아침 비행기를 타기 위해 새벽부터 서둘러 나왔다. 이민을 가는 사람처럼 바리바리 싼 짐을 부치던 중 직원이 여권과 입국 서류를 물어봤다. 이내 다른 I-20을 달라고 했다. 다른 I-20도 있나 싶어 여쭤보니 사본을 가져온 것이다. 엄마가 얼굴이 사색이 되더니 은행에 있다고 설명했다. 해외에 학비를 송금하려면 은행이 I-20을 보관하고 있어야 해서 원본은 은행이 가지고 있고 사본을 건네준 것이다. 은행 문 여는 시간을 기다릴 수도 있었지만, 비행기를 놓칠 수 있기에 할 수 없이 시카고 공항에서 현지 직원에게 어시스트를 받기로 했다. 그 이후의 일은 기억하기도 끔찍하다. 사본을 가져왔다는 죄(?)로 시카고 공항 사무실에서 장장 4시간을 기다리며 공무원에게 검문받은 뒤 로체스터행 비행기를 탈 수 있었다.

그리고 타지 생활을 하면 병원 가는 일이 제일 큰일이다. 아파서 병원을 가면 병원비 폭탄을 받을까 조심 또 조심했다. 사람 일 아무도 모르기에 혹여나 잘 지내던 맹장이라도 터질까 봐 미리 한국에서 떼고 가야하나 가끔 진지하게 고민했다. 내 동기는 사랑니를 뽑으러 방학 기간을 이용해 한국에 가기도 했다. 사랑니 2개 발치 비용이 한국행 비행기표보다 비싸기 때문이다. 이외에도 합법적으로 거주하지만 내 나라가 아니기 때문에 불편하고 서러웠던 일은 매우 많다. 그래서 한국행 비행기에서 내려 내 나라 땅을 밟는 순간 항상 안도의 숨과 함께 나를 보호해주는 든든한 나라가 있음에 감사함을 느낀다.

7

한동안 한국에 돌아와 살면서 나를 소개할 자리가 있으면 '유학생'이라고 자신 있게 말했다. 그러나 유학생이기에 조심해야 할 것들 천지였다. 엄마는 자칫 거만해 보일까 남들이 좋게 보지 않을까 노심초사했고 언행을 특히 조심하라고 했다. '미국에서는 안 그래. 한국은 왜 그래?' 나는 엄마가 나를 자제시킬 때마다 반항했다. 굉장히 경솔한 행동이었다. 언어적인 문제도 다시 나를 괴롭혔다. 미국에 갔을 때는 영어를 못해서 고생했는데 한국에 돌아오니 이제는 한국어도 제대로 못 하는 '0개국어' 화자가 된 기분이었다. 이건 미국에 돌아가면 그만이었다. 난 학부를 졸업하면 미국에서 계속 살아갈 삶을 그렸다. 그래서 영어만 잘할 수 있다면 한국어는 잊어버려도 된다고 생각했다.

정의되지 않는 사람

한 치 앞도 모르는 게 사람 인생이라고 복학하려는데 코로나19라는 전염병이 퍼졌다. 세계적인 대유행에 전 세계가 패닉에 빠졌고 모든 것이 바뀌었다. 당연히 내 삶도 180도 바뀌었다. 유학생이지만 컴퓨터로 학교에 다니고 몸은 한국에 있는 옴짝달싹 못 하는 신세가 됐다. 한국에서 졸업을 하니까 더더욱 미국으로 돌아갈 가능성이 희박했다. 취업하거나 대학원을 가는 방법이 있는데, 전 세계가 국경을 닫고 내일이 되면 세상이 어떻게 바뀔지 모르는데 미국이라고 나를 두 팔 벌려 환영하지는 않을 테고 대학원에 가면 당장 무엇을 공부해야 할지 몰랐다. 결혼을 해서 미국을 가는 방법도 있지만 코웃음을 칠 정도로 가장 비현실적이었다. 한국에 영영 갇힌 기분이었고 이대로 새로운 삶에 적응해야 한다는 사실에 혼란스러웠고 불행했다.

졸업식은 취소됐지만 사진은 남기고 싶어 엄마와 미국에 갔다. 그런데 이게 뭐지? 이방인으로서의 눈에 보이지 않는 차별과 고립감을 느꼈던 곳인데 고향에 온 것처럼 반갑고 기분이 좋았다. 매일 갔던 캠퍼스도 살던 동네도 살 당시에는 몰랐는데 다시 가니 옛날 생각이 새록새록 나면서 의자에 몇 시간을 가만히 앉아 있어도 기분이 좋았다. 미국에서 사는 이루어지지 않은 꿈에 대한 미련일까? 학생 신분이었기에 그렇지 외국인 노동자 신분으로 살았으면 이렇게까지 그립고 반갑지 않았을까? 설마 내가 한국 사회의 부적응자인 것이 아닐까? '난 원래 유학생이었고, 외국에서 살아야 해'라고 자신을 세뇌해서 미국에 오니 잠시 해방감을 느낀 게 아닐까? 어릴 때는 부모님과 헤어지고 서운한 마음에 비행기에서 많이 울었다. 그러나 이때만큼은 한국행 비행기를 타기 전 여러 번 뒤를 돌아봤고, 귀국해서 한국 땅을 밟는 게 반갑지 않았다.

8

　사회가 정해놓은 삶을 살고 싶었다. 학부를 졸업하면 취업하거나 대학원을 가고 싶었다. 그래서 내 멋대로 되지 않는 한국을 탓하고 싫어했다. 인생이 나의 순리에 맞게 흘러가지 않을 때 그 문제에 부딪히고 해결하려고 노력하기보다는 스스로 회피하고 숨어버렸다. 외국에만 나가면 한국에서의 불행이 끝나고 모든 문제가 해결될 것이라고 크게 착각했다.

　인생의 변수에 적응하고 극복하려고 노력했다. 흔히 인생을 바라보는 마인드셋을 바꾸라고 한다. 하루는 엄마가 TV 프로그램을 보고 김은주 구글 수석 디자이너이자 작가가 한 우물 안 개구리 얘기를 해줬다. 우물을 벗어나기 위해 더 넓은 세상에 왔는데 오히려 더 작은 사회에서 살고 있었다는 스토리. 머리가 멍해졌다. 나 또한 그랬다. 부모님이 더 넓은 세상을 보라고 엄청난 기회를 줬는데, 입술로는 '난 미국에서 혼자 살아서 생활력도 강하고 독립적인 여성이야. Get out of your comfort zone? (나만의 안전지대에서 나와야 한다?) 진즉에 나왔어'라고 말하면서 속으로는 나만의 깨질 듯 하면서도 깨지지 않는 알을 만들어 미국 사회에서 나를 고립시켰다. 한국에서도 '난 유학생이야'라는 유학생 존을 만들어 고립시켰고 이 구역 밖에 있는 사람들은 날 이해 못 한다고 못 박아 생각했다. 결국 여기저기 아무 곳에도 속하지 못한 이방인이라는 정체성은 환경적인 요인도 있었지만 스스로가 만든 타이틀이었다.

undefined

내 인생과 비슷하다고 생각해 부정적으로만 생각했다. 미국과 한국에서 살면서 내 신분과 정체성이 모호해서, 내 삶의 길 자체가 분명하지 않아서 스스로를 undefined라고 생각했다. 하지만 지금은 이 형용사가 좋다. 확실하지 않다. 정의되지 않는다. 오히려 무한한 가능성으로 들린다. 수학 문제 답에 $+\infty$ $-\infty$도 있지 않은가. 무한도 내 기준의 명확한 답은 아니다. 학문적으로 ∞ 와 undefined는 다른 개념일 수 있지만 나에게는 무엇이든 정답이 될 엄청난 가능성이 있는 답이라고 생각한다(∞와 undefined의 차이를 학문적으로 설명해 줄 수 있는 사람이 있다면 얘기해달라. 언제든 들을 준비가 되어있다).

한국과 미국에서 이방인으로 살았기 때문에 나만의 특별한 경험을 많이 할 수 있었고 그만큼 단단해졌다. 과장을 조금 보태 생활력 만랩이 돼서 어느 나라에 떨어지든 살 수 있을 것 같다. 13년 차 이방인이지만 다른 말로 하면 '나는 ○○○다'로 정의되지 않기에 앞으로 어떤 삶을 살고 고유성을 가진 존재가 될지 기대된다. 이제는 스스로가 만들었던 깨질 듯 깨지지 않는 알에서 완전히 나와볼까 한다. 훗날에는 'I completely got out of my comfort zone! (이제는 나만의 안전지대에서 완전히 나왔어!)'라고 외치기를.

고요한 소란

발행 | 2024년 6월 17일
저자 | 글한조각, 다인, 이승에서, 박소영, 엥꼬, 루사, 강민정, 김보영
펴낸이 | 이창현
디자인 | 비파디자인
펴낸곳 | 고유
출판사 등록 | 2022.12.12 (제2022-000324호)
주소 | 서울특별시 마포구 와우산로3길 29 2층
전화 | 070-8065-1541
이메일 | goyoopub@naver.com

ISBN | 979-11-93697-06-1 (03810)
www.goyoopub.com